VOCÊ E EU PARA SEMPRE

FRANCIS CHAN & LISA CHAN

VOCÊ E EU PARA SEMPRE

O CASAMENTO À LUZ DA ETERNIDADE

Traduzido por CECÍLIA ELLER NASCIMENTO

Copyright © 2014 por Francis Chan
Publicado originalmente por Claire Love Publishing, San Francisco, Califórnia, EUA.

Os textos das referências bíblicas foram extraídos da *Nova Versão Internacional* (NVI), da Bíblica Inc., salvo indicação específica. Eventuais destaques nos textos bíblicos referem-se a grifos do autor.

Todos os direitos reservados e protegidos pela Lei nº 9.610, de 19/02/1998.

É expressamente proibida a reprodução total ou parcial deste livro, por quaisquer meios (eletrônicos, mecânicos, fotográficos, gravação e outros), sem prévia autorização, por escrito, da editora.

CIP-Brasil. Catalogação-na-fonte
Sindicato Nacional dos Editores de Livros, RJ

C43v

Chan, Francis
  Você e eu para sempre: o casamento à luz da eternidade / Francis Chan, Lisa Chan; tradução Cecília Eller. - 1. ed. - São Paulo : Mundo Cristão, 2016.
  160 p. ; 21 cm.

  Tradução de: You and me forever: marriage in light of eternity
  ISBN 978-85-433-0139-6

  1. Casamento. 2. Relação homem-mulher. 3. Vida cristã. I. Chan, Lisa. II. Título.

15-29127 CDD: 306.8
CDU: 392.3

Categoria: Casamento

Publicado no Brasil com todos os direitos reservados por:
Editora Mundo Cristão
Rua Antônio Carlos Tacconi, 69, São Paulo, SP, Brasil, CEP 04810-020
Telefone: (11) 2127-4147
www.mundocristao.com.br

1ª edição: abril de 2016
7ª reimpressão: 2024

A Rachel, Mercy, Eliana, Ezekiel e Claire.
Os melhores filhos que poderíamos pedir a Deus.
Graças a Jesus, teremos o privilégio de estar
com vocês para sempre.

SUMÁRIO

Agradecimentos   9
Introdução   11

1. Casar não é tão bom assim   19
2. Em busca do casamento perfeito   36
3. Aprenda a brigar direito   55
4. Não desperdice seu casamento   79
5. Há esperança para nós?   108
6. O que é realmente melhor para as crianças?   123
7. A corrida extraordinária   151

AGRADECIMENTOS

O projeto *Você e eu para sempre* [<www.youandmeforever.org>, em inglês] foi um grande esforço em equipe. Foram literalmente milhares de horas que produtores de filmes, editores, equipes de produção, atores, *webdesigners*, programadores, publicitários, profissionais de *marketing*, *designers* e músicos dedicaram a ele.

Agradecemos de maneira especial àqueles que acreditaram tanto nesta mensagem a ponto de dedicar voluntariamente seu tempo e serviço. Acreditamos que grandes recompensas os aguardam.

Foi maravilhoso trabalhar com uma equipe tão cheia de talento!

Kevin Kim, obrigado por coordenar todo este projeto do início ao fim. Não teríamos nem tentado fazer tudo isso sem sua liderança. Você é o máximo.

Liz Shedden, você é um fenômeno da natureza. Assistente, contadora, babá... Você não apenas foi tudo isso como também se tornou parte de nossa família. E ainda aguentou Kevin, o "capataz". Amamos você.

Julie Chow, obrigado por prestar atenção a cada detalhe da publicação independente. Você é incrível. Vou escrever errado algums palavras aki só para lhe provocar um pouco.

Shawn Gordon, Tony Mattero, Nate Hanson, Alejandro Cortes, Marcus Bailey, Billy Wark, Kevin Shedden, Atoo Sakhrani, Marcus Hung, obrigado por serem excelentes pastores, amarem as pessoas e compartilharem o ministério.

Todos os meninos do projeto Bayview. Nós os amamos e mal conseguimos acreditar em quanto Deus transformou a vida de vocês.

Jessica Henry, obrigado pelo incentivo e pelas inúmeras horas de trabalho. Agradecemos por tudo que você faz para ajudar a salvar meninas ao redor do mundo.

Dann Petty, obrigado por criar a capa e aguentar um bando de amadores dando pitacos o tempo inteiro.

Matthew Ridenour e a equipe de *marketing*.

Chris Chiu, Chris Lee, Zach Johnston, Eyuel Tessema, Nati Tessema, Josh Pritchard, Yeetuck Yong, Kevin Morey e o restante da equipe de tecnologia que ajudou a criar incríveis materiais de apoio.

Obrigado a todos os produtores que ajudaram a espalhar esta mensagem criando curtas-metragens que nos inspiraram a ter um casamento melhor.

Muito obrigado a todos os defensores deste projeto, gente que o divulga levando este livro ao maior número possível de lugares.

INTRODUÇÃO

O segredo para viver felizes para sempre

Eu amo Lisa Chan. Não há nenhum outro ser humano que eu ame mais. Nós nos apaixonamos perdidamente e nos casamos em 1994. Mais de vinte anos e cinco filhos depois, o amor continua a crescer. Dia após dia, ela permanece fielmente ao meu lado — me amando, me incentivando e me desafiando. É minha melhor amiga. A vida a dois tem sido maravilhosa. E o melhor ainda está por vir. Tenho certeza disso.

Agora mesmo, estou trabalhando para garantir que minha família esteja pronta para o futuro. Quando a maioria das pessoas diz isso, está se referindo à segurança financeira de seus últimos anos neste mundo. Já eu falo sobre os milhões de anos que virão depois disso. As pessoas me acusam de exagerar por me preparar para meus primeiros dez milhões de anos na eternidade. Na minha opinião, elas é que exageram ao se preocupar com seus dez últimos anos neste planeta.

Imagino como será quando Lisa se encontrar face a face com Deus. A Bíblia garante que isso vai mesmo acontecer. Um dia, minha esposa estará diante do Criador e Juiz de todas as coisas. Que momento inacreditável será! Não consigo imaginar nenhum de nós pronto para a realidade desse dia, mas as Escrituras nos pedem que passemos a vida nos preparando para ele.

Não estou sugerindo que trabalhamos para merecer a aceitação de Deus. Isso seria heresia. Somos aceitos em sua presença quando confiamos naquilo que Jesus fez na cruz (Jo 3.16;

Ef 2.1-9; 2Co 5.21). É a obra dele, não a nossa, que determina nosso destino eterno. A Bíblia não poderia ser mais clara ao afirmar que não são as boas obras que nos fazem merecer um lugar no reino, mas sim a fé viva e ativa em Jesus. Os seguidores de Cristo podem esperar pelo dia final com grande segurança — e até mesmo com expectativa (2Pe 3.11-12). Contudo, a Bíblia fala muito sobre como devemos nos preparar para esse dia, pondo "em ação a salvação" (Fp 2.12-13).

Como sou apaixonado por Lisa, quero que ela tenha uma vida ótima. Mais do que isso, porém, desejo que ela tenha uma eternidade ótima. Quero que ela olhe para trás e se recorde de sua vida sem arrependimentos. Desejo que ela sinta a confiança de que o tempo que passou neste mundo a preparou para o céu. E o mais importante: quero que ela ouça Deus dizer: "Muito bem, servo bom e fiel! Você foi fiel no pouco, eu o porei sobre o muito. Venha e participe da alegria do seu senhor!" (Mt 25.23).

Pense em todos os prêmios, todas as promoções, todos os elogios e todas as realizações que você adoraria receber em vida. Sonhe alto e inclua tudo. Agora responda: será que alguma delas conseguiria ser melhor do que ouvir essas palavras de Jesus nos primeiros momentos da eternidade?

Algo estranho aconteceu quando Lisa e eu começamos a viver usando a lente da eternidade: passamos a aproveitar mais o aqui e o agora! Muitas pessoas dizem que a gente deve se concentrar no casamento, que o casal deve focar um no outro. Mas descobrimos que a decisão de nos concentrar na missão de Deus tornou nosso casamento incrível. Ela nos fez ter uma experiência profunda com Jesus — e o que poderia ser melhor?

A consciência da eternidade nos afasta das discussões bobas. Não há tempo para brigar. Existem coisas melhores a serem conquistadas que nossos próprios interesses. Há coisas demais em risco! Deus nos criou para um propósito. Não podemos nos dar ao luxo de desperdiçar a vida. Não podemos desperdiçar o casamento pela mera busca da felicidade individual.

Ao pastorear a mesma igreja ao longo de dezesseis anos, tivemos o prazer de observar casais tomando decisões radicais com base em sua devoção a Jesus. Foi emocionante vê-los entender a visão e colher as bênçãos. Temos doces lembranças do tempo em que desfrutamos a companhia de Jesus com esses casais de Deus.

Em contrapartida, lamentamos ao ver casais em busca da felicidade ao mesmo tempo que negligenciavam sua missão neste mundo. Aconselhamos muitos que se sentiam frustrados por desejarem viver de acordo com a Bíblia, mas não verem o cônjuge partilhar desse desejo. É impossível dizer quantas vezes agonizamos por aqueles que estavam perdendo tanto a bênção como o propósito de Deus para o casamento. Em parte, foi essa tristeza que nos levou a escrever este livro.

Ficamos tristes ao ver casais feridos; na verdade, isso parte nosso coração. Mas nosso coração fica ainda mais pesaroso por causa das consequências dessa realidade sobre o reino. Entristecemo-nos porque os casamentos espirituais exaltam a genial criação divina, mas poucos matrimônios irradiam essa glória. Ficamos tristes pela vitória que Satanás saboreia ao ver casais se intitularem "cristãos" enquanto vivem em vão, para si mesmos. Sentimo-nos arrasados ao ver quantos escolhem o divórcio, em vez de obedecer ao Rei. A triste condição do casamento faz a noiva de Cristo parecer impura e sem atrativos. Escrevemos com a esperança de mudar um pouco esse quadro.

Nos últimos tempos, conhecemos muitos solteiros receosos de se casar. Eles viram amigos que eram seguidores fervorosos de Cristo se unirem em casamento e, então, colherem como resultado uma obsessão com os prazeres da família ou uma sucessão sem fim de brigas e sessões de terapia. Escrevemos para dizer que as coisas não precisam ser assim. Vocês podem ser mais eficazes juntos do que separados. Em um relacionamento saudável de verdade, capacitamo-nos mutuamente a realizar mais do que seríamos capazes de fazer sozinhos. Esse é o plano divino.

Somos muito gratos a Deus por ter permitido que trabalhássemos juntos neste livro. Para nós, é uma honra promover como casal a obra do nosso Deus. A criação do casamento foi uma ideia brilhante. Nossa oração é que consigamos esclarecer um pouco quanto esse relacionamento pode ser belo.

Mas preciso fazer uma advertência. Um casamento centrado em Cristo e voltado para a eternidade não é o mesmo que um casamento "divertido". Lisa e eu nos divertimos bastante juntos, mas algumas das decisões que tomamos são dolorosas. Mesmo assim, sabemos que são certas. Cristo promete vida plena (Jo 10.10), mas isso nem sempre é sinônimo de diversão. Algumas das verdades que compartilhamos nestas páginas podem doer em você. Mas escolhas difíceis feitas para a glória de Deus produzem um tipo bom e correto de dor, uma dor que os cristãos precisam suportar neste mundo caído. É uma dor que nos torna mais fortes, mais santos e mais apaixonados por Deus e um pelo outro. Qualquer sofrimento por causa dele é um lembrete constante do futuro no qual toda dor será substituída por glória.

Existem muitos livros sobre casamento que se propõem a ensinar como ter um bom relacionamento e ser feliz. Este não é um deles. Não estou negando o valor desses livros. Aliás, aprendemos alguns princípios úteis com eles ao longo dos anos. O problema é que livros assim podem nos levar a pensar que ter uma família feliz é o objetivo do cristianismo. Eles podem fazer coisas primordiais — como a glória de Deus e sua missão — parecerem secundárias. Podem nos influenciar a trocar a felicidade eterna pela felicidade imediata. Para ser bem claro, essas obras não levam em conta o fato de que é possível ter um casamento terreno feliz e depois ser infeliz por toda a eternidade. Este livro fala sobre amar um ao outro para sempre.

Eu amo minha esposa. Amo o casamento. Amo o *amor*. Tudo isso aponta para o brilho de Jesus, que criou cada uma dessas coisas. Imagino que você esteja lendo este livro porque ama, ou deseja amar, alguém. Minha oração é que você permita que o Espírito Santo o conduza ao amor eterno, um amor que exalte Jesus agora e para sempre.

Pai, ajuda-nos a amar com sabedoria.

Mais que um livro (assim esperamos)

Lisa e eu esperamos que este recurso verdadeiramente transforme seu casamento e talvez sua eternidade. Todos nós lemos livros bons, informativos, mas que não promovem mudança de vida — sobretudo agora, nesta época em que as informações estão mais acessíveis do que nunca. Muitos de nós recebemos no cérebro um fluxo constante de informações, sem separar tempo para meditar e pôr em prática o que aprendemos. Por isso, oferecemos oportunidades para *leitura, meditação* e *ação*. Queremos que você tenha uma experiência com Deus, não que apenas aprenda sobre ele.

Você notará que a maior parte do livro foi escrita com minha voz (Francis), embora tenhamos pensado juntos em várias das ideias aqui apresentadas. No entanto, cada capítulo também contém uma seção escrita exclusivamente por Lisa. Além de escrever, também produzimos alguns vídeos. Uma vez que Lisa e eu nos sentimos mais confortáveis falando do que escrevendo, fizemos vídeos divertidos e criativos para expressar pensamentos que talvez não tenham sido manifestados tão bem de forma impressa. Eles estão disponíveis no *site* <www.youandmeforever.org>, junto com outros recursos que, assim esperamos, podem aperfeiçoar as lições aqui expostas.

O mais importante...

Ao ler os capítulos que se seguem, você descobrirá que concluímos cada um deles com um convite à ação. Isso é de suma importância. Se você não pôr em prática o que estiver aprendendo, este livro fará mais mal do que bem. Jesus afirmou: "Se eu não tivesse vindo e lhes falado, não seriam culpados de pecado. Agora, contudo, eles não têm desculpa para o seu pecado" (Jo 15.22).

Os cristãos têm se tornado especialistas em apresentar firmes convicções, mas fracassam no que diz respeito à ação. Os primeiros cristãos, no entanto, agiam rápido. Lembre-se do dia de Pentecoste (At 2). Quando as pessoas ouviram o sermão de Pedro, perguntaram imediatamente: "Que faremos?". Ao que Pedro respondeu: "Arrependam-se, e cada um de vocês seja batizado". Como eles reagiram? Três mil foram direto para as águas a fim de receber o batismo. É isso que deve acontecer. Ao nos convencermos de uma mensagem, precisamos perguntar: "O que devo fazer em resposta a essa verdade?".

Sugerimos algumas ações pontuais, mas não temos a pretensão de saber exatamente como Deus o chama a reagir. Se você quer saber *exatamente* o que deve fazer, a melhor resposta que podemos dar é: *alguma coisa*! Embora seja impossível para nós conhecer qual é o próximo passo que você deve dar, garantimos que existe um passo a ser dado. A pior coisa que você pode fazer é ficar sem fazer nada: "Sejam praticantes da palavra, e *não apenas ouvintes*, enganando-se a si mesmos" (Tg 1.22).

Recentemente, li um artigo sobre as pessoas mais gordas do planeta, que pesam mais de quatrocentos quilos — gente que está morrendo pela boca. Chega o momento em que perdem a capacidade de andar, até ficarem restritas ao leito e dependerem de outros para ser alimentadas, por não conseguirem mais comer por conta própria.

Elas me lembram muito várias pessoas que encontramos na igreja. Recebem mais e mais alimento espiritual a cada semana. Participam dos cultos, de estudos bíblicos em pequenos grupos, leem livros cristãos, escutam *podcasts* — e estão convencidas de que necessitam de mais conhecimento. Mas a verdade é que sua maior necessidade é de *fazer algo*. Não precisam de outro banquete de doutrinas. Necessitam de exercício. Precisam malhar aquilo que já consumiram. Algumas se acostumaram tanto a consumir a Palavra sem pô-la em prática que a gente começa a se perguntar se elas de fato seriam capazes de praticar alguma coisa. São os acamados espirituais, resignados a passar o resto da vida estudando a Palavra sem nunca fazer discípulos nem cuidar dos outros de maneira concreta. É a respeito deles que Tiago pergunta: "De que adianta, meus irmãos, alguém dizer que tem fé, se não tem obras? Acaso a fé pode salvá-lo?" (Tg 2.14).

Algumas pessoas ficam paralisadas por medo do fracasso. Têm tanto medo de fazer a coisa errada que acabam não fazendo nada. Precisamos aprender a errar agindo, pois tendemos a nos manter negligentes. Há muitos que só fariam algo se ouvissem uma voz do céu que lhes dissesse exatamente o que deveriam fazer. Por que não partir para a ação até ouvir uma voz do céu que lhe ordene esperar? Por exemplo: por que não presumir que você deve adotar filhos a menos que ouça uma voz do céu lhe dizendo o contrário? Isso não seria o mais bíblico a fazer, uma vez que Deus nos disse que a verdadeira religião consiste em cuidar das viúvas e dos órfãos (Tg 1.27)?

Um dos motivos que nos levam a recusar a ação, e os possíveis erros dela resultantes, é a dura crítica que recebemos quando falhamos. As pessoas são rápidas em apontar para ações que terminam mal. Mas raramente reconhecemos o pecado da omissão. Criticamos aquele que dá muitos doces para crianças que estão passando fome, em vez de criticar os milhares que não lhes dão nada para comer.

O servo que enterrou o dinheiro de seu senhor, em vez de investir como fizeram os demais, estava se poupando da vergonha de uma iniciativa comercial fracassada. Mas sua covardia lhe rendeu a repreensão mais severa: o patrão o chamou de mau, negligente e inútil (Mt 25.24-30). Você não quer ser o servo que deixa de agir apenas pelo medo de errar. Você pode muito bem errar por meio de ações equivocadas, mas é garantido que vai errar se não fizer nada.

Lisa e eu já erramos por agir rápido demais. Como na ocasião em que encontramos uma mulher sem-teto com três filhos e grávida do quarto. Logo a convidamos para morar conosco. Era impossível controlar os filhos dela, e eles levavam nossas crianças às lágrimas. Arruinaram nossa casa e não pareceram aprender nada durante o tempo que passaram conosco. Então descobrimos que aquela mulher estava desabrigada apenas por se recusar a acompanhar o marido, que a amava e a queria por perto.

Pode ter sido um erro, mas não nos arrependemos de haver tentado. Nossa vida é cheia de sucessos e fracassos. Para nós, isso é melhor do que "ser prevenido" e não fazer nada. Tenho certeza de que erramos dez vezes mais quando deixamos de agir no momento em que deveríamos ter feito alguma coisa. Por isso, hoje, faça *algo*. Todos nós erramos. Erre agindo.

1

CASAR NÃO É TÃO BOM ASSIM

O casamento à luz da glória de Deus

Alguém o observa enquanto você lê este livro. Pense nisso. O Deus que lhe empresta a vida vê cada movimento seu, ouve cada palavra que você fala e conhece cada pensamento de sua mente. E isso é bom. Você é visto por Deus. Notado. *Conhecido*. Deus falou, e o mundo veio à existência. Deus falou, e o mundo foi submerso por um dilúvio. Um dia, ao julgar cada indivíduo, Deus pronunciará o único veredicto que importa. Esse é o Deus que conhece você, agora mesmo. É o Deus que o observa enquanto você lê.

Sei que este deveria ser um livro sobre casamento, mas esqueça um pouco as pessoas. Vamos nos concentrar em algo maior: Deus. Concentre-se em algo mais importante: seu relacionamento com Deus. Esse relacionamento é muito mais relevante do que seu casamento, e é eterno.

A notícia pode ser assustadora, mas Jesus ensinou que os casamentos terrenos não serão levados para o céu. Em Mateus 22, perguntaram a Jesus sobre uma viúva hipotética que se casou várias vezes. Os líderes religiosos da época queriam saber de Cristo com qual marido ela viveria casada no céu. Ele respondeu: "Na ressurreição, as pessoas não se casam nem são dadas em casamento; mas são como os anjos no céu" (Mt 22.30).

Talvez seja difícil para você aceitar essa declaração de Jesus. (Espero que ela não o tenha deixado feliz...) Para mim, é difícil imaginar o dia em que Lisa e eu não estaremos mais casados, mas dois pensamentos me trazem conforto. Primeiro, isso não significa que Lisa e eu não nos amaremos profundamente no céu. Meu palpite é que serei ainda mais próximo dela quando existirmos em um corpo cheio de glória, livre de pecado. Para que as coisas melhorem, elas precisam tornar-se diferentes. Segundo, terei com Deus uma união seguramente melhor do que qualquer intimidade terrena que vivencio hoje. Confio no Deus criador do casamento quando ele promete um futuro melhor.

Todos precisamos priorizar, acima de todas as coisas, nosso relacionamento eterno com o Criador. Além disso, só quando se tem um relacionamento adequado com Deus é que se está apto a ajudar os outros. Pessoas que não vivem bem sozinhas só pioram as coisas ao decidirem viver juntas.

Quando duas pessoas estão bem com Deus, ficarão bem uma com a outra. Em mais de vinte anos de experiência pastoral, cheguei à conclusão de que a maioria dos problemas no casamento não caracteriza, na verdade, problemas conjugais. São problemas com Deus. O que acontece é que um dos cônjuges (quando não ambos) tem um fraco relacionamento com o Senhor ou uma compreensão falha de quem ele é. Uma imagem precisa de quem é Deus é vital para um casamento saudável. É vital para tudo. Conforme expressou A. W. Tozer: "Mesmo se todos os problemas do céu e da terra nos assolassem de uma só vez, eles não seriam nada se comparados ao aterrador problema ligado a Deus: que ele existe, quem ele é e o que nós, seres morais, devemos fazer em relação a ele".*

Agora que ficou claro que este capítulo é sobre Deus, e não sobre casamento, você pode se sentir tentado a ignorá-lo e ir direto para a "parte boa". Afinal, você e Deus estão bem; você só está tentando resolver as coisas dentro do casamento. Não seja tolo. Não presuma que está tudo bem entre você e Deus. Não podemos ser complacentes em relação a esse relacionamento.

---

*The Knowledge of the Holy. San Francisco: Harper-San Francisco, 1992, p. 3.

Quase todas as pessoas que conheço acreditam que seu destino será o céu. Em todos os funerais de que participo, ouço o discurso de que o falecido está agora "em um lugar melhor". Mas, se isso é verdade, por que Jesus fala sobre uma porta estreita e um caminho apertado? "Entrem pela porta estreita, pois larga é a porta e amplo o caminho que leva à perdição, e são muitos os que entram por ela. Como é estreita a porta, e apertado o caminho que leva à vida! São poucos os que a encontram" (Mt 7.13-14).

Jesus é claro: nem todos estão a caminho da vida eterna. Poucos a encontram.

Por isso, em vez de ir direto aos sintomas de um casamento problemático, vamos nos concentrar em algo mais vital. Algo que precisa estar no centro de nosso relacionamento conjugal porque define se o casamento será maravilhoso ou um desastre. Comecemos por onde a Bíblia nos orienta: "O temor do Senhor é o princípio da sabedoria" (Sl 111.10); "O temor do Senhor é o princípio do conhecimento" (Pv 1.7); "O temor do Senhor conduz à vida" (Pv 19.23).

Tema a Deus

Acho que você não esperava ler essas três palavras em um livro sobre casamento. Mas nada poderia ser mais fundamental para o matrimônio. Sem o sentimento saudável de temor a Deus, não apreciamos plenamente a vida nem o amor. Sem esse temor, nossas prioridades ficam totalmente fora de ordem. Mas, se o temor saudável a Deus fizer parte do alicerce de quem somos, uma bela vida e um bom casamento podem ser edificados sobre ele. Atente para estes versículos: "O Senhor se agrada dos que o temem" (Sl 147.11); "Não tenham medo dos que matam o corpo, mas não podem matar a alma. Antes, tenham medo daquele que pode destruir tanto a alma como o corpo no inferno" (Mt 10.28).

A maioria das pessoas subestima como será terrível ver Deus. Sem sombra de dúvida, será o momento mais extraordinário de toda a nossa existência. E não podemos ignorar o fato de que podemos vê-lo a qualquer momento. Como você acha que vai se sentir ao vê-lo? Posso garantir que não ficará pensando em sua família.

Embora não seja possível saber exatamente como nos sentiremos em tal ocasião, a Bíblia contém histórias de como outras pessoas reagiram ao vislumbrar Deus. Houve João, que caiu como se estivesse morto (Ap 1.17). Houve Isaías, que exprimiu sua desgraça e declarou-se pecador (Is 6.5). Houve Jó, que imediatamente reconheceu sua insensatez e disse: "Meus ouvidos já tinham ouvido a teu respeito, mas agora os meus olhos te viram. Por isso menosprezo a mim mesmo e me arrependo no pó e na cinza" (Jó 42.5-6). Cada reação foi diferente, mas todas se caracterizam por temor e reverência. Seria tolo de nossa parte pensar que conosco não será assim.

E essa não é apenas a mentalidade vigente no Antigo Testamento. Compare os seguintes trechos e veja que Deus não se tornou menos apavorante no Novo Testamento:

> A arrogância dos homens será abatida, e o seu orgulho será humilhado. Somente o Senhor será exaltado naquele dia, e os ídolos desaparecerão por completo. Os homens fugirão para as cavernas das rochas e para os buracos da terra, por causa do terror que vem do Senhor e do esplendor da sua majestade, quando ele se levantar para sacudir a terra.
>
> Isaías 2.17-19

> Então os reis da terra, os príncipes, os generais, os ricos, os poderosos — todos, escravos e livres, esconderam-se em cavernas e entre as rochas das montanhas. Eles gritavam às montanhas e às rochas: "Caiam sobre nós e escondam-nos da face daquele que está assentado no trono e da ira do Cordeiro! Pois chegou o grande dia da ira deles; e quem poderá suportar?".
>
> Apocalipse 6.15-17

O mais estranho é que conheço pouquíssimas pessoas que pensam sobre esse momento. É porque não acreditamos de verdade que isso vai acontecer, não é mesmo? Pensamos nas próximas férias e em quanto vamos nos divertir. Pensamos nas provações à nossa frente e nos preocupamos em como serão difíceis. Por que não pensamos em como será ver Deus pela primeira vez?

Tento refletir a esse respeito com frequência porque é algo que me mantém focado. É por isso que também imagino como será o encontro de Lisa com Deus. Eu a amo, portanto quero que ela esteja preparada.

A maioria de nós sente certo nervosismo diante de determinadas pessoas. Como então podemos nos preparar para o encontro com aquele que "habita em luz inacessível" (1Tm 6.16)? Felizmente, a Bíblia foi escrita com o propósito de nos ensinar isso.

Olhe para Deus

Fiquei tímido quando me apresentei a Lisa pela primeira vez. Mais de vinte anos depois, isso mudou de maneira significativa. Agora eu me sinto mais confortável com ela do que com qualquer outra pessoa no planeta. O tempo na presença de alguém muda tudo. O relacionamento muda tudo.

Em Apocalipse 4, a Bíblia fala sobre anjos celestes que ficam na presença de Deus. O texto bíblico diz que eles "dia e noite repetem sem cessar: 'Santo, santo, santo é o Senhor, o Deus todo-poderoso, que era, que é e que há de vir'" (v. 9). *Tudo que eles fazem* é olhar para Deus e declarar quanto ele é santo. Eles estão fazendo isso agora mesmo. Vão continuar fazendo quando você parar de ler este livro, quando se deitar hoje à noite e quando acordar amanhã. Cada minuto do tempo deles é dedicado a estar na presença de Deus proclamando sua grandeza. Não faria sentido, então, dedicar pelo menos uma pequena parte de nosso dia para fazer o mesmo? Você já fez isso hoje? Deus quer que o adoremos e lhe rendamos graças ao longo do dia (Ef 5.18-20). Se não olharmos para Deus, gastaremos o tempo olhando para coisas inferiores, a saber, nós mesmos.

Esse é um erro que muitos casais cometem. Eles passam tempo demais mirando a si mesmos e um ao outro, mas muito pouco tempo olhando para Deus. Quando põem o foco em si, naturalmente começam a estruturar cada aspecto de sua vida em torno dos poucos anos que terão juntos aqui, em vez de se concentrar nos milhões de anos que passarão na presença do Senhor. Ou longe dele. Tais pessoas vivem como se não fossem morrer. Vivem como se o Rei não estivesse voltando.

Davi só tinha um pedido: "Uma coisa pedi ao Senhor; é o que procuro: que eu possa viver na casa do Senhor todos os dias da minha vida, para contemplar a bondade do Senhor e buscar sua orientação no seu templo" (Sl 27.4). Isso foi tudo que Davi pediu a Deus. Ele sabia que essa era a resposta para qualquer problema que tivesse.

Por um momento, imagine-se em pé ao lado do trono de Deus. Um instante em sua presença e tudo o mais parece pequeno, insignificante. A tolice das questões que capturavam nossa atenção e afeto se expõe. Por isso, Davi diz ao Senhor que tudo o que deseja é contemplá-lo diariamente. Olhar para ele.

Se eu pudesse ler um manuscrito das orações que você fez ao longo do último mês, o que identificaria como "algo" que é solicitado repetidas vezes? Responda com sinceridade. As orações revelam muito sobre nós. Os pedidos que fazemos mostram o que valorizamos, e o tom que usamos revela nossa opinião sobre Deus. O autor de Eclesiastes adverte: "Deus está nos céus, e você está na terra, por isso, fale pouco" (5.2).

Você não precisa sair em busca de Deus. Ele está com você agora mesmo. Separe tempo agora para *estar* com ele. Contemple-o. Louve-o. É possível que essa seja uma experiência totalmente nova para você. Fique a sós com ele, sem pedir nada. Leia a descrição de Deus nos capítulos 4 e 5 de Apocalipse e, ao entrar na presença dele em oração, imagine como ele é. Não fale muito nem peça muita coisa. Apenas pense sobre ele e diga como você o reverencia. Feche os olhos e faça isso agora.

Se você fez isso, presumo que entende a importância de se concentrar em Deus acima de tudo. Se cada pessoa casada fizesse isso com regularidade, muitos problemas desapareceriam. Repito: nossos problemas conjugais não são de fato problemas conjugais. São problemas do coração. São problemas com Deus. Nossa falta de intimidade com Deus causa um vazio que tentamos preencher com os substitutos mais instáveis: riqueza ou prazer; fama ou respeito; pessoas; casamento.

Poucos negariam que o casamento é destruído pelo egoísmo. Às vezes, todos nós valorizamos em excesso nossos empreendimentos pessoais enquanto ignoramos os desejos de Deus e dos outros. Mas não conseguimos curar o narcisismo tentando ignorar a nós mesmos. A solução é olhar para Deus. Quando realmente o contemplamos, todas as outras coisas perdem o brilho e se colocam em seu devido lugar.

Meditar em Deus reacende nosso temor, além de criar proximidade com o próprio Senhor. Às vezes, é o temor saudável que protege nosso casamento quando o sentimento de intimidade não se faz presente.

Proteja seu casamento

As coisas são diferentes hoje em dia. O pecado é mais acessível e aceitável. Duas questões específicas saltam à mente, ambas mortais para o casamento: a pornografia e o flerte.

Quando eu era criança, o homem que estivesse em uma loja de conveniência e se dirigisse até o caixa com uma *Playboy* em mãos automaticamente informava a todos ali que era um pervertido. Atualmente, as pessoas podem olhar inúmeras imagens pornográficas na privacidade do próprio telefone. E muitos nem mesmo consideram isso uma perversão. É a norma!

Quando eu era criança, a mulher precisava flertar com um homem face a face, em um ambiente social normal. Também nesta situação, havia a vergonha de que as pessoas vissem a cena e rotulassem a mulher de "vagabunda" ou "prostituta". Hoje, com o Facebook e as mensagens de texto, homens e mulheres podem abordar um ao outro em segredo, a fim de "sondar" o território. E os casos que surgem dessa prática, bem como os divórcios dela resultantes, se tornaram mais aceitáveis. Até mesmo dentro da igreja.

Mas algumas coisas nunca mudam. Deus continua vendo. Ele ainda odeia tais atos, tanto quanto sempre odiou. Embora a maioria das pessoas agora os apoie, Deus não. Desculpas como "Meu marido não me dá atenção" ou "Minha esposa não supre minhas necessidades" continuam a ser refutadas por Deus. Satanás ainda é a fonte da voz que diz que está tudo bem — mesmo se essa voz pertencer a amigos, conselheiros ou pastores.

E a resposta ao pecado continua a mesma: tema a Deus. O amor por sua família nem sempre é suficiente para protegê-la da natureza que caracteriza você. Apenas o conhecimento profundamente enraizado de que um Deus santo o observa o afastará do mal durante as tentações mais sedutoras:

> Não se deixem enganar: de Deus não se zomba. Pois o que o homem semear, isso também colherá. Quem semeia para a sua carne, da carne colherá destruição; mas quem semeia para o Espírito, do Espírito colherá a vida eterna.
>
> Gálatas 6.7-8

> Assim, meus amados, como sempre vocês obedeceram, não apenas na minha presença, porém muito mais agora na minha ausência, ponham em ação a salvação de vocês com temor e tremor.
>
> Filipenses 2.12

Lembre-se de que existe um inimigo tentando destruir seu casamento. Nossa batalha não é contra "o sangue e a carne" (Ef 6.12, RA), por isso não conseguimos resguardar nosso casamento fazendo mais programas a dois, tirando mais férias ou indo a mais sessões de aconselhamento. Essas coisas não são ruins, mas precisamos enxergar que existe algo mais acontecendo. A oração sincera e concentrada fará infinitamente mais do que qualquer estratégia humana em prol de um casamento feliz. "A oração de uma pessoa obediente a Deus tem muito poder" (Tg 5.16, NTLH).

Outra fonte de poder que não devemos negligenciar é a Bíblia. Essa frase pode soar como um disco riscado para aqueles que cresceram frequentando a igreja, mas espero que você não a desconsidere. Os versículos das Escrituras são mais do que bons ensinamentos: eles têm poder. Não são apenas dizeres poderosos, mas palavras vivas proferidas pelo mesmo Deus que formou o universo. "Pois a palavra de Deus é viva e eficaz, e mais afiada que qualquer espada de dois gumes; ela penetra até o ponto de dividir alma e espírito, juntas e medulas, e julga os pensamentos e intenções do coração" (Hb 4.12).

As palavras em sua Bíblia têm poder sem igual para penetrar no mais íntimo do seu ser. Elas alcançam além do autoengano, da hipocrisia e dos falsos motivos, expondo a alma. Quando você lê o livro de Deus, ele o rasga por dentro, fazendo a obra divina em seu coração e em sua mente. Durante todo o dia, ouvimos fortes opiniões de gente arrogante. Precisamos purificar nossa mente, lembrando uns aos outros das palavras do próprio Deus.

Leia estas passagens devagar e com reverência. Leia em voz alta para si mesmo ou declarem isto um para o outro:

> Quando você for ao santuário de Deus, seja reverente. Quem se aproxima para ouvir é melhor do que os tolos que oferecem sacrifício sem saber que estão agindo mal.
> Não seja precipitado de lábios, nem apressado de coração para fazer promessas diante de Deus. Deus está nos céus, e você está na terra, por isso, fale pouco. Das muitas ocupações brotam sonhos; do muito falar nasce a prosa vã do tolo.
> Quando você fizer um voto, cumpra-o sem demora, pois os tolos desagradam a Deus; cumpra o seu voto. É melhor não fazer voto do que fazer e não cumprir. Não permita que a sua boca o

faça pecar. E não diga ao mensageiro de Deus: "O meu voto foi um engano". Por que irritar a Deus com o que você diz e deixá-lo destruir o que você realizou? Em meio a tantos sonhos absurdos e conversas inúteis, tenha temor de Deus.

Eclesiastes 5.1-7

O dia do Senhor, porém, virá como ladrão. Os céus desaparecerão com um grande estrondo, os elementos serão desfeitos pelo calor, e a terra, e tudo o que nela há, será desnudada.

Visto que tudo será assim desfeito, que tipo de pessoas é necessário que vocês sejam? Vivam de maneira santa e piedosa, esperando o dia de Deus e apressando a sua vinda. Naquele dia os céus serão desfeitos pelo fogo, e os elementos se derreterão pelo calor.

2Pedro 3.10-12

Versículos como esses não precisam de muita explicação. Quanto mais os lermos, mais forte será nossa vida. Quanto mais os dissermos um ao outro, mais forte será nosso casamento. Protejam seu casamento lembrando um ao outro que Deus é santo e que Jesus *vai* voltar a qualquer momento.

Todos temos a tendência de procurar a verdade dentro de nós mesmos. Em nossa arrogância, gostamos de acreditar que somos capazes de resolver os problemas por meio do pensamento profundo. Mas a Bíblia insiste que nossos melhores pensamentos não são nada diante dos divinos. Por isso, no casamento ou em qualquer outra questão, nunca deveríamos confiar em nossa sabedoria. O melhor que podemos fazer é ouvir as palavras de Deus.

"Pois os meus pensamentos não são os pensamentos de vocês, nem os seus caminhos são os meus caminhos", declara o Senhor. "Assim como os céus são mais altos do que a terra, também os meus caminhos são mais altos do que os seus caminhos, e os meus pensamentos, mais altos do que os seus pensamentos."

Isaías 55.8-9

Se esses versículos são verdadeiros, deveríamos parar de desperdiçar tempo sondando nossa própria mente e, então, gastar nossos dias estudando a mente de Deus.

Adore a Deus, não ao casamento

Quando meu computador fica inativo por alguns minutos, a proteção de tela mostra uma foto de nossa família correndo pela praia. Ao olhar para essa imagem, muitas vezes sou levado à adoração. Como é que Deus foi ter tal ideia? A imaginação e o poder necessários para criar pessoas e projetar o casamento são realmente insondáveis. A criação da família foi brilhante. Passar pela vida não como indivíduos, mas sim como grupos que demonstram amor e apoio uns aos outros, que se ajudam mutuamente nos momentos difíceis e riem juntos nos bons tempos, que oram, choram, sofrem e se divertem *juntos* — quem mais conseguiria inventar algo tão belo?

No entanto, precisamos tomar cuidado. Embora seja bom apreciar aquilo que Deus criou, o amor familiar pode rapidamente obscurecer todos os outros.

Quando perguntaram a Jesus qual era o mandamento mais importante, ele respondeu: "'Ame o Senhor, o seu Deus, de todo o seu coração, de toda a sua alma e de todo o seu entendimento'. Este é o primeiro e maior mandamento" (Mt 22.37-38). Jesus chega ao ponto de dizer: "Quem ama seu filho ou sua filha mais do que a mim não é digno de mim" (Mt 10.37). Ele deixa claro que quer o primeiro lugar em nossa vida.

Aliás, Cristo também afirmou: "Se alguém vem a mim e ama o seu pai, sua mãe, sua mulher, seus filhos, seus irmãos e irmãs, e até sua própria vida mais do que a mim, não pode ser meu discípulo" (Lc 14.26). Não é que devemos amá-lo um pouco mais do que amamos nossa família; nosso amor por ele deve ser de uma categoria diferente. Ele está muito além de nós; portanto, nosso amor por ele deve estar muito além do amor que sentimos pelos demais. A distância entre nosso amor por

Deus e o amor que sentimos pelo cônjuge deve ser gigantesca. Os dois não são nem dignos de comparação. Em geral, ordenamos nossas afeições como a lista à esquerda, ao passo que a ordem bíblica corresponde à lista à direita:

1. DEUS	1. DEUS
2. Família	
3. Amigos	
4. Trabalho	
5. Bens materiais	2. Família, amigos, trabalho, bens materiais

Muitos se contentam com a disposição da lista à esquerda. Mas ela não está de acordo com a Bíblia. Na verdade, está em oposição ao que a Bíblia ensina. Deus requer que o tratemos como santo, que significa "separado". Se amássemos a Deus corretamente, não haveria espaço para algo que vem "logo em segundo lugar".

Mais uma vez, boa parte disso se encaixará em seu devido lugar quando você tomar tempo para contemplar o Senhor. Analise seu coração agora. Quem é seu primeiro amor? Quais são seus pedidos de oração? Em que você medita?

Você foi criado por Deus, para a glória dele. "Pois nele foram criadas todas as coisas nos céus e na terra, as visíveis e as invisíveis, sejam tronos ou soberanias, poderes ou autoridades; todas as coisas foram criadas por ele e para ele" (Cl 1.16). "Assim, quer vocês comam, bebam ou façam qualquer outra coisa, façam tudo para a glória de Deus" (1Co 10.31).

Há muito em jogo — *Lisa*

Em Filipenses 3, Paulo fala sobre a justificação que vem mediante a fé em Cristo. Ele diz: "Não que eu já tenha obtido tudo isso ou tenha sido aperfeiçoado, mas prossigo para alcançá-lo, pois para isso também fui alcançado por Cristo Jesus" (v. 12). Eis a realidade: *muitas* pessoas esquecem que, após o momento da salvação, tem início uma vida inteira de santificação (o processo de se tornar santo). A condição de justo é alcançada quando há crença verdadeira, mas a justificação — a semelhança com Cristo — cresce em profundidade ao longo de uma vida inteira em busca das coisas de Deus. É por isso que Paulo anseia tomar posse de tudo que Cristo oferece.

Não podemos parar de prosseguir rumo a esse objetivo em *todas* as áreas de nossa vida. E a semelhança com Cristo tem importância *especial* no casamento porque o relacionamento conjugal é uma maneira muito poderosa de demonstrar o evangelho e a glória de Deus. É o primeiro lugar para onde as pessoas olham a fim de ver se realmente cremos naquilo que dizemos acreditar. Alguém pode ter o dom de uma oratória dinâmica, ou de ofertar com generosidade para pessoas que passam por necessidades, ou ainda de aparentar saber muito sobre as Escrituras, mas, se tiver um casamento terrível, levantará questionamentos. Como ele pode tratar a mulher daquele jeito? Por que ela desrespeita tanto o marido? Fica claro que indivíduos assim não acreditam de fato naquilo que alegam crer. Deveria nos incomodar profundamente o fato de tantos de nossos casamentos representarem o evangelho de modo negativo.

Imagine se o índice de divórcio entre cristãos fosse praticamente nulo? Que maneira incrível de anunciar ao mundo que nós somos diferentes! Temos a mente de Cristo, o poder do Espírito Santo, escolhemos morrer para nós mesmos e amar e perdoar mesmo quando as coisas ficam difíceis. Isso chamaria a atenção das pessoas. É isso que Deus deseja de nós, seu povo. "Façam tudo sem queixas nem discussões, para que venham a tornar-se puros e irrepreensíveis, filhos de Deus inculpáveis no meio de uma geração corrompida e depravada, na qual vocês brilham como estrelas no universo" (Fp 2.14-15).

Seu casamento se destaca nesta geração? Esse relacionamento foi projetado para refletir a glória de Deus. Ou fazemos brilhar a luz que caracteriza quem é filho de Deus ou participamos da maldade e depravação do mundo ao nosso redor. De certo modo, se não fizermos o certo dentro do relacionamento conjugal, não importam todas as coisas certas que fazemos fora dele.

O casamento é extremamente importante quando o consideramos segundo esse aspecto. Deus trabalha muito em nossa mente e em nosso coração por meio desse relacionamento. Dentre todas as jornadas de que você pode participar, o casamento é uma das que mais conduzem à humildade e à santificação. Ele nos força a lutar contra o egoísmo e o orgulho. Mas também nos possibilita demonstrar amor e compromisso.

Li recentemente esta citação: "Somos o plano de Deus para tornar crível o fato de que ele é bom, amoroso e verdadeiro". Deus sempre escolheu se revelar por meio das pessoas. Assim como usou a nação de Israel para mostrar ao mundo quem era o único Deus verdadeiro, ele nos chama a representá-lo para o mundo ao nosso redor. Nossa vida deve demonstrar que a existência de Deus é possível. Nosso modo de amar o cônjuge deve tornar o amor de Cristo crível e verdadeiro. Não seria extraordinário saber que seu casamento *conduziu* alguém a um relacionamento com Cristo?

As pessoas necessitam ver Deus em você à medida que você ama seu cônjuge. O mundo necessita desesperadamente ver um reflexo fiel de Cristo e da igreja em nosso casamento, pois é da glória divina que estamos falando! Necessitamos de uma mudança fundamental de pensamento sobre o que está em jogo em nossa maneira de viver a vida e o casamento.

Li uma ótima citação de nossa querida amiga Joni Eareckson Tada. O que ela diz transcende sua luta pessoal contra a tetraplegia e a dor crônica, aplicando-se a *qualquer* circunstância em nossa vida, seja ela dolorosa, seja alegre. Basicamente, Joni afirmou:

> Eu me dei conta de que o que estava em jogo era muito maior, muito mais imenso e abrangente do que apenas minha satisfação

com uma cadeira de rodas e o desagradável fardo que ela representa. Mudei meu foco para Deus. É sua glória que está em jogo, e isso transformou minha satisfação nele (não a satisfação com "a situação das coisas") na *real* questão. Deixou de ser uma questão de estar contente com o plano divino para minha vida; passou a ser o desejo de encontrar nele, de forma total e suprema, a fonte de *todo* contentamento. Isso, para minha alegria, é o que lhe dará maior glória.

Que perspectiva extraordinária! A despeito de quanto seu casamento seja satisfatório ou não, a *real questão* é quanto você se satisfaz *em Deus*. Quer seu casamento seja cheio de alegria, quer cheio de dor, é a glória de Deus que está em jogo. Você precisa mudar o foco de modo que ele seja direcionado para Deus? Para mim, esse conceito resume nosso motivo para escrever este livro.

Existem *muitos, muitos* cristãos concentrados na realização pessoal, sem pensar em como sua vida deveria demonstrar satisfação profunda em Deus. Onde está a disposição de abrir mão do sentimento de felicidade no casamento em prol da glória de Deus? Mas não, nós nos agarramos a nossos direitos e esquecemos que existe algo muito mais imenso e abrangente em ação. "Assim brilhe a luz de vocês diante dos homens, para que vejam as suas boas obras e glorifiquem ao Pai de vocês, que está nos céus" (Mt 5.16).

O foco sempre foi a glória de Deus. Nossa vida e nosso casamento devem levar as pessoas a louvarem a Deus! Sobretudo agora, em meio a tanto egoísmo, tanta escuridão e tanto orgulho. "Porque outrora vocês eram trevas, mas agora são luz no Senhor. Vivam como filhos da luz" (Ef 5.8).

Conclusão

Embora a Bíblia nos ajude a compreender o que é o casamento e como ele funciona, ela não é um livro sobre casamento. É um livro sobre Deus. Ela nos ensina acerca de um Criador por meio da revelação de seu caráter, da narrativa de seus atos passados e da exposição de seus planos futuros. Quando analisamos o relato bíblico como um todo, a prioridade excessiva colocada sobre os relacionamentos humanos parece absurda. A Bíblia começa com um Ser de tal forma poderoso que suas palavras ordenam à existência coisas que não existem, e elas obedecem. Ela nos apresenta um Ser de tal modo santo e justo que, certa vez, afogou todas as pessoas que viviam neste planeta, poupando apenas oito que ainda o honravam. As Escrituras estão repletas de exemplos de Deus punindo os arrogantes e abençoando os humildes. E concluem com visões de um julgamento futuro aterrorizante, no qual cada ser humano é levado definitivamente para um lugar de prazer perfeito em união com Deus ou para um lugar de dor extrema, longe dele.

Deus está no centro de cada história das Escrituras. Ele é o Criador da vida, o Juiz e Salvador. Por isso, embora a Bíblia fale sobre casamento, precisamos tomar cuidado para não usá-la apenas para encontrar dicas úteis ao relacionamento conjugal. Há um quadro muito, muito mais amplo.

Aproxime-se de Deus e deixe seu casamento transbordar com essa proximidade. Quando as coisas vão bem com Deus, nosso casamento pode se tornar aquilo que foi projetado para ser. A paz começa quando ambas as partes concordam. Concordem em Deus — concordem com sua santidade e com a supremacia que ele merece na vida de vocês.

Faça algo

O mais importante é você reagir à verdade deste capítulo. Oferecemos a seguir algumas sugestões para auxiliá-lo nisso. Se elas o ajudarem a temer a Deus, a exaltá-lo ao lugar adequado em sua vida e em seu casamento, então coloque-as em prática! Se houver algo melhor ou mais específico que possa ajudá-lo, então aja de acordo com essa outra possibilidade. O importante é que você faça *alguma coisa*.

Crie uma linha do tempo para seu relacionamento

- Comece descrevendo como vocês eram quando se conheceram.
- Também descreva como vocês são agora. Vocês cresceram ou regrediram no decorrer do relacionamento?
- Então, avance dez anos. Se, daqui a uma década, seu casamento for exatamente como você pretende, de que maneira ele será?
- Agora, considerando o ponto A (onde seu relacionamento começou) e o ponto B (onde você se encontra agora), que passos você precisa dar para chegar ao ponto C (onde você quer estar dentro de dez anos)? Que sacrifícios você necessita fazer? Quais hábitos e metas precisa cultivar? O que é necessário eliminar? Como vocês podem ajudar um ao outro nessa jornada?

Analise seu temor a Deus

- Descreva como cada um de vocês teme ao Senhor agora, neste momento. Individualmente, expliquem de que maneiras seu temor ao Senhor é forte e apropriado e em que aspectos vocês não temem a Deus como deveriam.
- Ajudem-se mutuamente nessa atividade. Para se certificarem de que as descrições são verdadeiras, troquem as listas, leiam-nas e façam comentários.
- Criem uma estratégia de como vocês podem ajudar um ao outro a desenvolver o temor ao Senhor. Que passagens das Escrituras vocês podem ler juntos para reforçar esse sentimento? Como podem orar um pelo outro? Que evidências devem procurar para indicar que cada um está de fato crescendo no temor a Deus?

2
EM BUSCA DO CASAMENTO PERFEITO
O casamento à luz do evangelho

Pouco tempo atrás, almocei com um amigo que me falou de seus pais. O pai dele tem 95 anos e a mãe, 96. Eles se apaixonaram quando estavam na sexta série e estão casados há 75 anos. São os melhores amigos um do outro há 83 anos! Meu amigo prosseguiu dizendo que a mãe está com a mente cada dia mais comprometida, mas seu pai simplesmente se senta ao lado dela por horas, repousando a mão de forma carinhosa sobre seu braço. Imagine essa cena por um instante.

Eu me pergunto o que passa pela cabeça desse senhor enquanto permanece sentado ao lado da esposa. O que ele pensa e sente quando estende a mão e faz contato com aquele braço que está perto dele há 83 anos? Como será compartilhar 83 anos de memórias com outra pessoa? Visualizo essas lembranças como um álbum de fotografias e imagino os dois virando página por página, recordando cenas de risos juntos em um parquinho, apaixonando-se, casando-se, tendo filhos, netos e bisnetos. A emoção deve ser intensificada por cenas de discussões e tragédias, perda e dor. Imagino-os virando as páginas finais que levam à capa de trás, na qual um dia serão colocadas cenas de ambos, lado a lado, terminando esta vida.

Nesta época de casamentos descartáveis, é bom ver um retrato de compromisso, longevidade e parte da beleza que Deus intencionou para o casamento. É bom saber que esses modelos existem, mesmo sem nunca tê-los conhecido. Dá-nos um alvo a mirar. Isso me faz esperar com expectativa o futuro com minha esposa. Às vezes, Lisa reclama de estar envelhecendo e aponta para as rugas no rosto. Hoje eu digo que amo essas rugas, pois são um lembrete de que estamos envelhecendo juntos — é nosso sonho se tornando realidade. Eu adoraria ter 83 anos de memórias com elas. Mas duvido que possa acontecer, pois, para tanto, eu precisaria completar 108.

A história desse casal idoso nos enternece porque fomos criados para nos relacionar. Deus disse: "Não é bom que o homem esteja só" (Gn 2.18). Qualquer um que já sentiu a dor da solidão compreende essa verdade. Boa parte do prazer que desfrutamos na vida ocorre no contexto de relacionamentos saudáveis. O casamento é algo absolutamente genial. No entanto, por mais belo que possa ser, ele é, por definição, mera sombra de algo muito maior.

O casamento milagroso

Em Efésios 5, Paulo diz que o casamento é um "mistério". Em seguida, explica que o mistério não é o casamento entre um homem e uma mulher, mas sim o casamento entre Cristo e a igreja. "'Por essa razão, o homem deixará pai e mãe e se unirá à sua mulher, e os dois se tornarão uma só carne.' Este é um *mistério* profundo; *refiro-me, porém, a Cristo e à igreja*" (v. 31-32). É um milagre os seres humanos poderem se unir a Deus!

Deus vai em busca dos seres humanos! A Bíblia inteira mostra isso. Vemos Deus andando no jardim com Adão e Eva. Ouvimos Deus falar a Moisés no topo da montanha. Encontramos sua presença misteriosa no tabernáculo e no templo. Ao chegar ao Novo Testamento, lemos sobre o nascimento de Jesus — *Emanuel*, título que significa literalmente "Deus conosco" — e o vemos caminhando em meio a um povo rebelde. Mais tarde, ele envia o Espírito Santo para habitar dentro de seu povo, tanto de maneira individual como no coletivo, em sua igreja. Por fim, a Bíblia descreve o futuro, quando Jesus se casará com esse povo, com quem viverá para sempre.

A Bíblia revela a possibilidade mais surpreendente de todos os tempos: a união entre o ser humano e Deus.

Mas Deus demonstra seu amor por nós: Cristo morreu em nosso favor [...]. Se quando éramos inimigos de Deus fomos reconciliados com ele mediante a morte de seu Filho, quanto mais agora, tendo sido reconciliados, seremos salvos por sua vida!
Romanos 5.8,10

A parte mais intrigante é que Deus não só permite que o conheçamos, mas também fez um sacrifício imenso para que isso acontecesse! Deus não deixa apenas um convite sobre a mesa — ele pagou o mais alto preço para transformar o encontro em realidade.

Não existe história de amor maior do que esta: o Juiz do universo correndo atrás daqueles que se rebelaram contra ele. As pessoas se transformaram em inimigas de Deus ao rejeitar seu domínio e seguir os próprios desejos. Todavia, Deus ama tanto seus "inimigos" que enviou o próprio Filho para pagar o preço pelos crimes que cometeram. A ira divina se satisfez quando Jesus foi pendurado na cruz. Por intermédio da morte de Cristo, os cristãos são purificados do pecado e se reconciliam com o Deus que haviam rejeitado. Isso torna Deus tanto íntegro quanto perdoador, tanto justo quanto justificador (Rm 3.21-26). Ele é justo porque seu juízo contra o pecado foi executado. Somos justificados porque seu Filho inocente sofreu em nosso lugar.

Enquanto escrevo isso, sinto-me até um tolo. Estou tentando descrever com palavras inertes algo muito sagrado. Minhas palavras parecem tão ineficazes, tão estéreis. Minha vontade é parar de escrever, olhar dentro de seus olhos e gritar: Jesus morreu! Ele escolheu a morte mais cruel para levá-lo a Deus! Tudo mudou! Você e eu éramos destinados a um encontro terrível com Deus — éramos "merecedores da ira" (Ef 2.3) —, mas tudo isso mudou! A morte não me assusta mais! Mal posso esperar para morrer! Obrigado, Jesus!

Você é tão lindo!

Não se trata tão somente de não mais parecermos sujos ao comparecer diante de Deus. O que Cristo fez em nosso lugar não nos torna espiritualmente neutros. Em vez disso, ele nos tornou justos, atraentes. Aqueles que se apegam a Jesus são belos para ele.

> É grande o meu prazer no SENHOR! Regozija-se a minha alma em meu Deus! Pois ele me vestiu com as vestes da salvação e sobre mim pôs o manto da justiça, qual noivo que adorna a cabeça como um sacerdote, qual noiva que se enfeita com joias.
>
> Isaías 61.10

Ele nos torna lindos e chega a nos comparar com uma noiva no dia do casamento! Já tive o privilégio de realizar muitos casamentos e sempre é um momento legal quando o noivo vê a noiva pela primeira vez. Em geral, ouço um "Uau!" quando ela entra no ambiente exibindo seu vestido. Ele sabia que ela estaria bonita, mas sua voz e expressão facial demonstram surpresa genuína ao ver a beleza da amada no dia do casamento.

Deixe a ficha cair: Deus usa *essa* imagem para descrever como você é atraente para ele. Ele nos faz lindos *assim*. É difícil imaginar o Criador do universo olhando para nós com *esse* tipo de ternura. Alguns de nós já nos enchemos de alegria só por saber que ele não nos odeia! Então é de fato difícil acreditar que somos encantadoramente atraentes para ele.

Lembre-se, porém, de que isso não se deve a nada que fizemos. Jesus removeu toda a nossa feiura. Ao contrário de uma noiva típica, todos nós éramos maltrapilhos, grotescos e terrivelmente despreparados momentos antes de fazer a entrada triunfal na igreja.

Somos a noiva de Cristo agora, mas a Bíblia também nos retrata como os que esperam com expectativa pelas "bodas do Cordeiro". Pense em quanto tempo, dinheiro e esforço são dedicados a nossas cerimônias de casamento. Mas *este* é o casamento que as Escrituras enfatizam, portanto é com ele que deveríamos ficar obcecados. Nós somos a noiva — fomos reconciliados com Deus e agora desfrutamos um relacionamento com ele —, mas o casamento ainda está por vir.

Com frequência, o Novo Testamento apresenta uma tensão entre o que é ("já") e o que será ("ainda não"). Jesus é o Rei agora, mas seu reinado pleno ocorrerá no futuro. Ele desferiu um golpe fatal em Satanás, mas apenas quando vier pela segunda vez é que se livrará totalmente desse adversário. Somos a noiva de Cristo hoje, mas a consumação completa aguarda seu retorno:

> Então ouvi algo semelhante ao som de uma grande multidão, como o estrondo de muitas águas e fortes trovões, que bradava: "Aleluia!, pois reina o Senhor, o nosso Deus, o Todo-poderoso. Regozijemo-nos! Vamos alegrar-nos e dar-lhe glória! Pois chegou a hora do casamento do Cordeiro, e a sua noiva já se aprontou. Para vestir-se, foi-lhe dado linho fino, brilhante e puro". O linho fino são os atos justos dos santos.
>
> E o anjo me disse: "Escreva: Felizes os convidados para o banquete do casamento do Cordeiro!" E acrescentou: "Estas são as palavras verdadeiras de Deus".
>
> Apocalipse 19.6-9

Esse é o destino de todo aquele que crê em Jesus. Após a cerimônia de casamento, Deus habitará conosco de uma maneira que nenhum de nós jamais experimentou. Em nosso futuro eterno, não haverá mais morte, dor, doença ou choro (Ap 21.1-4). Nosso tempo neste mundo é breve e turbulento. Nosso tempo no novo céu e na nova terra será eterno e glorioso.

Se essa é a primeira vez que você compreende aquilo que Deus fez em seu favor, permaneça concentrado nessa ideia. Só faz sentido melhorar seu casamento se você estiver seguro em Deus. Encontre um lugar tranquilo e converse com seu Criador. Confesse seus pecados a ele, peça-lhe perdão. Agradeça a morte em seu lugar. Diga que deseja a habitação do Espírito em seu interior. Afaste-se da velha vida e siga-o, vivendo à luz da eternidade. "Se confessarmos os nossos pecados, ele é fiel e justo para perdoar os nossos pecados e nos purificar de toda injustiça" (1Jo 1.9).

Se você está familiarizado com essas verdades há anos, não deixe que essas boas-novas se transformem em notícias antigas. Agora mesmo sua união com Deus deveria fasciná-lo mais do que qualquer outra coisa no mundo.

É impossível fracassar

Imagine uma corrida de cem metros. Estou no local da largada competindo com meu pai. Após um segundo de corrida, fica claro que vou ganhar. O principal motivo: meu pai morreu anos atrás. Eu sei, é uma ilustração esquisita, mas continue comigo.

O que estou tentando dizer é que estar vivos nos dá uma vantagem tremenda. A Bíblia afirma que *estávamos mortos* em nossos pecados, assim como todas as outras pessoas do planeta (Ef 2.1-3). O cenário é de algumas pessoas vivas andando em meio a um monte de cadáveres, como em um filme teológico de zumbis. É assim que parecemos em comparação com o mundo! Muitos cristãos se contentam em parecer um pouco mais morais do que as pessoas ao seu redor. Mas a diferença entre o cristão verdadeiro e o não cristão não se resume a distinções morais — é a diferença entre estar vivo ou morto!

Coloque este livro de lado por um instante e leia Ezequiel 37.1-14. Confie em mim, você não vai se arrepender. Nessa passagem, o profeta Ezequiel se encontra no meio de um vale. Ao olhar em volta, percebe que o vale está coberto de ossos humanos. Eles estão por toda parte; são secos e quebradiços. Então Deus ordena ao profeta que fale:

> Profetize a estes ossos e diga-lhes: Ossos secos, ouçam a palavra do SENHOR. Assim diz o Soberano, o SENHOR, a estes ossos: Farei um espírito entrar em vocês, e vocês terão vida. Porei tendões em vocês e farei aparecer carne sobre vocês e os cobrirei com pele; porei

um espírito em vocês, e vocês terão vida. Então vocês saberão que eu sou o SENHOR.

Ezequiel 37.4-6

Quando Ezequiel disse essas palavras àqueles ossos secos, ele ouviu um som, depois um chacoalhar e, ao olhar em volta, contemplou os ossos se unindo, os tendões se ligando e a pele cobrindo os corpos outrora mortos e decompostos. Em seguida, Deus soprou vida nos corpos e "eles receberam vida e se puseram em pé. Era um exército enorme!" (v. 10).

Essa é a diferença entre os que foram vivificados em Cristo e os que não o foram. Um ser ressurreto *versus* uma pilha de ossos secos e quebradiços.

No capítulo 36, Deus havia prometido a Ezequiel que iria até o povo para tirar-lhe o coração de pedra, transplantar um coração de carne e colocar seu espírito dentro de cada um (v. 25-27).

Isso nos leva aos primeiros capítulos de Atos, nos quais os discípulos foram misteriosamente cheios do Espírito e receberam poder tremendo. Os que presenciaram aquele dia viram a transformação imediata. Então Pedro disse que a mesma coisa poderia acontecer com eles!

> Pedro respondeu: "Arrependam-se, e cada um de vocês seja batizado em nome de Jesus Cristo para perdão dos seus pecados, e receberão o dom do Espírito Santo. Pois a promessa é para vocês, para os seus filhos e para todos os que estão longe, para todos quantos o Senhor, o nosso Deus, chamar".
>
> Atos 2.38-39

Naquele dia, três mil pessoas foram batizadas. Mas observe a forma de expressão: *a promessa é para vocês, para os seus filhos e para todos os que estão longe*. O que os discípulos vivenciaram naquele dia — o início da visão de Ezequiel, isto é, um exército que antes estava morto, mas se tornou poderoso — foi oferecido aos que testemunharam o poder do Espírito em Atos 2. E continuaria disponível para seus filhos. E ainda aguardaria todos os que estivessem distantes. Deus continua a chamar pessoas para ele. Você e eu podemos ter o mesmo poder que os discípulos experimentaram dois mil anos atrás, mediante o Espírito Santo. Por isso, a pergunta é: ele está em você? Você escolheu se arrepender, ser batizado e receber o dom do Espírito Santo? Lembre-se de que é isso que faz a diferença entre a vida e a morte, entre ossos espalhados e um ser vivo.

É possível que o Senhor esteja usando seu casamento para chamar você até ele. Talvez você só esteja em busca de dicas para o casamento, mas Deus tem um plano muito maior em mente. Se você acredita no que Jesus fez em seu lugar e ainda não decidiu segui-lo, encontre uma igreja que siga os ensinos da Bíblia, onde alguém possa batizá-lo e ajudá-lo a compreender os ensinos de Cristo.

Quando Lisa e eu começamos a reunir ideias para este livro, concordamos que seria inútil lançar a visão de um casamento saudável para aqueles que não têm o Espírito Santo. O Espírito não é uma mera forma de aumentar sua probabilidade de sucesso. Lembre-se: ele é a diferença entre estar vivo e estar morto. Sem o Espírito de Deus, não importa quão saudável seja seu ponto de vista sobre o casamento ou quanto você deseje um relacionamento sadio. Um cônjuge morto não é capaz de conseguir um casamento vivo.

Em termos simples, o Espírito Santo nos leva de uma situação impossível a uma posição na qual é impossível falhar. Medite nos versículos a seguir, que alguns consideram ser os mais importantes da Bíblia:

> Quem vive segundo a carne tem a mente voltada para o que a carne deseja; mas quem vive de acordo com o Espírito, tem a mente voltada para o que o Espírito deseja. A mentalidade da carne é morte, mas a mentalidade do Espírito é vida e paz; a mentalidade da carne é inimiga de Deus porque não se submete à Lei de Deus,

nem pode fazê-lo. Quem é dominado pela carne não pode agradar a Deus.

Entretanto, vocês não estão sob o domínio da carne, mas do Espírito, se de fato o Espírito de Deus habita em vocês. E, se alguém não tem o Espírito de Cristo, não pertence a Cristo. Mas se Cristo está em vocês, o corpo está morto por causa do pecado, mas o espírito está vivo por causa da justiça. E, se o Espírito daquele que ressuscitou Jesus dentre os mortos habita em vocês, aquele que ressuscitou a Cristo dentre os mortos também dará vida a seus corpos mortais, por meio do seu Espírito, que habita em vocês.

Romanos 8.5-11

Essa passagem me faz lembrar um comercial de certo isotônico veiculado nos Estados Unidos. A propaganda pergunta "Está em você?" ao mostrar atletas realizando feitos extraordinários enquanto suam o isotônico pelos poros. Adoro a ilustração visual de algo nos energizando por dentro com tanto poder que sua presença é tangível e incontestável. É claro que aquele isotônico não é tão poderoso assim, e eu não preciso tomá-lo para dominar a quadra de basquete. Mas a cena me lembra a descrição bíblica do Espírito Santo.

Deus promete que uma mudança interna — um novo ato de criação (2Co 5.17) — ocorrerá dentro daqueles que crerem. E essa mudança interna produzirá mudanças externas. O Espírito nos enche com tanto poder que sua presença ativa se torna tangível e incontestável (Gl 5.22-24). Se as ações não estiverem transbordando de sua vida, você precisa se perguntar: ele está em mim?

A boa árvore só consegue produzir bons frutos (Mt 7.16-20). A boca fala daquilo que o coração está cheio (Lc 6.45). É a presença do Espírito Santo no âmago de nosso ser que nos leva a odiar o mal e amar o que é bom (Rm 8.9-17).

Depois que essa mudança interior acontece, é como se você não conseguisse deixar de agir. É assim que a vida cristã deveria funcionar. Algo enche por dentro até transbordar do lado de fora. Eu não reflito sobre meu amor por Jesus; eu o amo. Eu não me convenço a servi-lo; sou compelido a isso. É como se eu não conseguisse evitar amar as pessoas e me sacrificar pelos pobres. Há um desejo dentro de mim de fazer essas coisas, e as ações fluem de cada fibra do meu ser. Eu odeio a luxúria. Odeio o orgulho. Odeio o ódio e nem tento senti-lo. É simplesmente quem sou. Não vejo mais as regras divinas como fardos. Sou grato ao Senhor por elas. Transformei-me em um escravo da justiça e amo isso! "Mas, graças a Deus, porque, embora vocês tenham sido escravos do pecado, passaram a obedecer *de coração* à forma de ensino que lhes foi transmitida. Vocês foram libertados do pecado e tornaram-se escravos da justiça" (Rm 6.17-18).

Alguns cristãos atuais desejariam viver nos tempos do Antigo Testamento somente para ter a oportunidade de vivenciar o poder de Deus no templo. Outros gostariam de ter vivido durante o ministério terreno de Jesus a fim de poder falar com ele e presenciar seus milagres. Contudo, Cristo disse que o que temos agora é bem melhor do que essas duas opções: "Mas eu lhes afirmo que é para o bem de vocês que eu vou. Se eu não for, o Conselheiro não virá para vocês; mas se eu for, eu o enviarei" (Jo 16.7).

Se você se surpreende com o desejo de conversar com Jesus ou vivenciar o poder de Deus no templo, então há algo de errado com sua compreensão do Espírito Santo e sua experiência com ele.

Vivemos uma época incrível da história da humanidade. Este período, no qual o Espírito de Deus habita dentro dos que creem, não é um substituto barato do templo ou de Jesus. Pelo contrário, as Escrituras ensinam que estamos em melhores condições do que os fiéis antes de nós. Deus não está apenas conosco, ele está dentro de nós! É por isso que as pessoas meneiam a cabeça em descrença quando ouvem os cristãos alegarem tamanho poder, mas demonstrarem um casamento tão frágil e sem amor.

Se o Espírito de Deus realmente está dentro de nós, então seu poder deve ser *evidente* em nosso casamento. Estou cansado de ler as novas estatísticas que mostram não haver diferença entre casamentos cristãos e casamentos não cristãos. A solução não vem por meio de tentativas mais consistentes nem pondo em prática as estratégias corretas. Ela ocorre quando o poder do Espírito transborda de nosso coração e inunda o casamento e cada aspecto de nossa vida.

Nosso papel nesta história

Já parou para pensar no fato de que você desempenha um papel na história de Deus? Mais: você já se maravilhou com isso? Deus criou o mundo, e as pessoas se rebelaram contra o Criador. Então enviou profetas para advertir o povo, sacerdotes para interceder por seus filhos e reis para liderá-los, mas poucos se voltaram para ele. Até que Deus enviou o próprio Filho para orientar seu povo, mas, mesmo a Cristo, muito poucos deram ouvidos. Depois disso, Jesus morreu para pagar pelos pecados da humanidade, ressuscitou dos mortos e subiu para o céu, onde reina com o Pai. Quando partiu, Jesus enviou o Espírito Santo para habitar dentro dos que creem, a fim de lhes conceder poder para dar continuidade à sua missão na terra.

Então antes do fim da história da humanidade, quando o Salvador e Juiz voltará para salvar e julgar, você nasceu. Agora você é chamado por Deus para demonstrar o poder do Espírito mediante seu estilo de vida. Sua missão é fazer isso até ele chamá-lo de volta ao lar ou voltar para dar fim à história humana, ocasião na qual você será recompensado — pelo Deus que o criou, pelo Filho que morreu por você e pelo Espírito que lhe concedeu poder — por apresentar ao mundo uma imagem correta de seu amor. Tudo isso culminará com as bodas do Cordeiro, em que você, como noiva, se unirá a todos os fiéis de todas as eras e se casará com o único Rei verdadeiro, com quem viverá e reinará ao longo de toda a eternidade.

Foi para essa história que fomos chamados. Cada um de nós desempenha um papel pequeno, mas significativo. Nosso casamento também exerce papel relevante no grande plano de Deus. Somos chamados a pintar um retrato tão atraente da vida conjugal que leve as pessoas a almejarem o casamento vindouro com Jesus. Deus nos convida a demonstrar o amor e a humildade de Cristo por meio do casamento. Explicaremos como isso funciona mais adiante. Por ora, reflita sobre isto: seu casamento desempenha um papel no plano eterno de Deus.

Parte de nossa responsabilidade como cristãos é contar às pessoas a história de Deus. Todos nós deveríamos falar regularmente aos outros sobre quem é Jesus e o que ele fez e faz. Isso é necessário e nunca deveríamos nos envergonhar de Cristo (Mt 10.32-33). Mas uma coisa é *pregar o evangelho* e outra bem diferente é *demonstrar o evangelho*.

Na verdade, o objetivo da igreja é demonstrar o evangelho — a igreja existe para colocar em exibição os atributos de Deus. Podemos falar sobre o perdão de Cristo, mas, na igreja, nós o *demonstramos*. Jesus lavou os pés dos discípulos e depois orientou-os a fazerem o mesmo (Jo 13.14-15). Devemos imitar as ações de Jesus para que o mundo possa vê-lo.

Pense nisto: a expressão "uns aos outros" é mencionada 59 vezes no Novo Testamento. Por 59 vezes os autores do Novo Testamento nos orientam que só podemos obedecer se nos voltarmos aos outros membros da igreja e demonstrarmos o caráter de Deus. É impossível fazer esse "uns aos outros" sozinho; é impossível exercer o "uns aos outros" só no próprio coração. Essas ordens referentes a "uns aos outros" exigem que *demonstremos* o evangelho com os outros.

Enquanto esteve aqui, Jesus revelou Deus ao mundo. Mas agora ele instituiu a igreja, deu a nós sua missão e nos concedeu poder por intermédio do Espírito Santo. É nossa tarefa revelar Deus ao mundo mediante nossa maneira de viver juntos. Aliás, Jesus disse que a união de seus seguidores confirmaria ao mundo que ele fora enviado por Deus. Não estou exagerando; confira João 17.20-23.

Demonstrar Deus ao mundo é o propósito da igreja e também o propósito do casamento. Ao ver como sirvo minha esposa, as pessoas deveriam ter um vislumbre da humildade demonstrada por Cristo. Qualquer um que notar Lisa seguindo meu direcionamento com alegria deveria compreender com maior profundidade o que significa a igreja seguir Cristo por respeitá-lo e confiar nele. Deus criou o casamento para ser uma imagem que demonstra Cristo ao mundo.

Meu objetivo ao dizer tudo isso é insistir que há muito mais em jogo dentro do seu casamento do que apenas o relacionamento em si. É a beleza do evangelho que está em jogo.

Casamento e fraqueza — *Lisa*

Sou rápida em dizer que quero ser semelhante a Cristo. Minha mente pensa imediatamente em seu amor, sua bondade, as curas que fazia e seus ensinos — coisas para as quais almejo servir de exemplo. Mas fico perplexa diante de tudo o que corresponde à semelhança com Cristo: humildade, sacrifício, perdão e sofrimento. São atributos difíceis de manifestar, coisas que costumamos evitar.

É por isso que Jesus instruiu as pessoas a levarem em conta o custo de segui-lo. Quando as multidões se reuniam para vê-lo e ouvi-lo, ele sabia que muitas estavam ali apenas para ver o *show*. Não queriam ouvir Cristo dizer: "Negue-se a si mesmo, tome a sua *cruz* e siga-me". Muitos não estavam prontos para ouvir Jesus dizer que só eram dignos de ser seus discípulos se estivessem dispostos a abrir mão de *tudo que tinham* (Lc 14.33). Jesus queria que todos repensassem o entusiasmo que sentiam por ele.

"O servo não é maior do que seu senhor" (Jo 13.16, RA). Por que nós, servos de Cristo, presumimos que nossa vida será isenta de sacrifícios e sofrimento? Se Jesus entregou a própria vida, devemos estar prontos para fazer o mesmo. Ele deixou um exemplo ao qual pudéssemos *seguir*. João diz: "Aquele que afirma que permanece nele, deve andar como ele andou" (1Jo 2.6).

Afirmar ser cristão não quer dizer nada se eu não aceitar *tudo* o que significa ser semelhante a Cristo.

Imagine-se sentado em meio à multidão para a qual Jesus está falando. Talvez você esteja ali por sentir-se desesperado, ou apenas por causa da popularidade do Mestre. Ao ouvi-lo, porém, seu espírito salta de alegria. De repente, você o escuta dizer: "E aquele que não carrega sua cruz e não me segue não pode ser meu discípulo" (Lc 14.27). Você faria isso?

Em meio a um casamento maravilhoso, você aceita concentrar os olhos no Presenteador, em vez de focar o presente? Em meio a um casamento difícil, você aceita sofrer pela justiça? Está disposto a seguir o exemplo de Cristo e viver de maneira *digna* do chamado que recebeu (Ef 4.1)? Você foi conclamado a ser semelhante a Cristo. E louvado seja Deus por não pedir que façamos algo que ele não seja plenamente capaz de realizar em nós. Você pode não *sentir vontade* de ser semelhante a Cristo, mas foi *chamado* para isso.

Não sei por que pensamos que sempre devemos nos sentir bem, fortes, capazes ou prontos. Muitas vezes, sabemos o caminho que precisamos tomar — no casamento ou em qualquer outra área da vida —, mas não o trilhamos porque nos falta o "sentimento".

Se há algo de que tenho certeza é que não se pode confiar nos sentimentos. Nem por um segundo. Por vezes demais, nossos sentimentos se baseiam em impressões pessoais, autopreservação, medos e emoção.

Certa vez, li em um para-choque: "Não acredite em tudo que você pensa". Eu sei — é uma frase de para-choque, mas mesmo assim é profunda. Você pode *pensar* que é fraco. Pode *pensar* que não há esperança. Pode *pensar* que sempre deve sentir vontade de obedecer a Deus, mas você não deve acreditar em tudo o que pensa.

Mas [Deus] me disse: "Minha graça é suficiente para você, pois o meu poder se aperfeiçoa na fraqueza". Portanto, eu me gloriarei ainda mais alegremente em minhas fraquezas, para que o poder de Cristo repouse em mim. Por isso, por amor de Cristo, regozijo-me nas fraquezas, nos insultos, nas necessidades, nas perseguições, nas angústias. Pois, quando sou fraco é que sou forte.

2Coríntios 12.9-10

Acho extraordinário que seja *justamente* em nossa sensação de fraqueza e desespero que a graça de Deus se torna mais do que suficiente. A força de Deus é tão grande que Paulo se gloriava em sua fraqueza, em vez de fracassar nela. Esse tipo de pensamento deveria efetuar uma transformação profunda em nós!

Muitas vezes, reconhecemos nossas fraquezas, mas falhamos em reconhecer o que Deus pode realizar por meio delas. Então vem a justificativa para a desistência, uma desculpa usada por tantas pessoas que afirmam conhecer o Deus todo-poderoso: "Eu não consigo". Trata-se de uma frase tola para aqueles que conhecem Deus; não deveria fazer parte de nosso vocabulário. O "Não posso" deveria ser substituído pelo "Tudo posso naquele que me fortalece" (Fp 4.13). A fraqueza deveria nos levar a uma rendição a Cristo de uma maneira nunca vivenciada, deveria nos impelir a clamar àquele que experimentou a fraqueza, foi tentado de todas as formas e conhece o impulso de desistir, de seguir em frente, de buscar o próprio caminho.

Quando você é fraco, ele é forte. Quando você sente vontade de desistir, ele lhe mostra como ser fiel. "Pois não temos um sumo sacerdote que não possa compadecer-se das nossas fraquezas, mas sim alguém que, como nós, passou por todo tipo de tentação, porém sem pecado" (Hb 4.15).

No cerne do evangelho se encontra a vitória. Vitória sobre o juízo. Vitória sobre a morte. Vitória sobre o pecado.

Ouça com atenção (tenho medo de perder aqueles leitores que testemunharam tantas derrotas que, sem perceber, pararam de crer que a vitória é possível). Cada pessoa tem a escolha de pensar, agir e responder à luz do evangelho. É verdade que o casamento pode falhar pela recusa de um dos cônjuges em fazer isso. Mas também é possível que o relacionamento conjugal prospere por causa do compromisso de apenas uma pessoa com essa causa. A vitória definitiva se encontra em saber que *você* honra a Cristo a todo custo e sua consciência fica em paz na presença dele.

Observe esta passagem bíblica:

> Pensem bem naquele que suportou tal oposição dos pecadores contra si mesmo, para que vocês não se cansem nem desanimem. Na luta contra o pecado, vocês ainda não resistiram até o ponto de derramar o próprio sangue.
>
> Hebreus 12.3-4

Algumas das pessoas mais belas e cheias do Espírito que conheço passaram por dores emocionais profundas no casamento. A relação entre os fatos não passou despercebida a mim. Testemunhei como essas mesmas pessoas vivenciaram grande intimidade com o Salvador ao lutarem com a dor, o perdão e a humildade. Paulo nos conclama: "Não nos cansemos de fazer o bem, pois no tempo próprio colheremos, se não desanimarmos" (Gl 6.9). Eu presenciei essas pessoas extraordinárias colhendo os frutos do amor radiante de Cristo. A paz e a alegria que transbordam da vida delas é um testemunho vivo de que, de fato, a graça de Deus lhes bastou.

Meu coração anseia ver o povo de Deus vivendo no poder e na vitória do evangelho. Precisamos parar de subestimar nosso Deus! Pedro nos lembra: "Seu divino poder nos deu *tudo de que necessitamos para a vida e para a piedade*" (2Pe 1.3). Sim, longe de Cristo somos fracos e pecadores. Mas conectados a ele temos tudo de que necessitamos para uma vida piedosa. Pedro declara a todos:

> Por isso mesmo, empenhem-se para acrescentar à sua fé a virtude; à virtude o conhecimento; ao conhecimento o domínio próprio;

ao domínio próprio a perseverança; à perseverança a piedade; à piedade a fraternidade; e à fraternidade o amor. Porque, se essas qualidades existirem e estiverem crescendo em sua vida, elas impedirão que vocês, no pleno conhecimento de nosso Senhor Jesus Cristo, sejam inoperantes e improdutivos.

2Pedro 1.5-8

É possível sermos ineficazes e infrutíferos em nosso conhecimento de Jesus. Não quero que isso aconteça. Espero que você também não.

Continuo achando que a única maneira de "crescer" nessas qualidades, ou de "crescer" em nossa semelhança com Cristo, é aumentando o tempo e o esforço dedicados a buscá-lo. Estender drasticamente o tempo que passamos em oração. Isso é difícil. Reconheço a quantidade de coisas que exigem nossa atenção constante. Às vezes, sinto que estou a um passo de deixar a carne comandar. Posso desfrutar uma fase boa e tranquila com Jesus por um dia ou dois, ou até por uma semana. Mas aí a batalha interior começa. Quanto mais longe do Espírito Santo eu fico, mais fraca espiritualmente me torno. Para ser realmente semelhante a Cristo, preciso permanecer próxima a ele. Também necessito me lembrar daquilo que Jesus disse: "O meu mandamento é este: Amem-se uns aos outros como eu os amei. Ninguém tem maior amor do que aquele que dá a sua vida pelos seus amigos. Vocês serão meus amigos, se fizerem o que eu lhes ordeno" (Jo 15.12-14).

O tipo de amor que levou Cristo até a cruz não foi fácil para ele, nem indolor. Pelo contrário, ele lutou e agonizou com o Pai para ver se não havia alternativa. O grande amor cobra um grande preço. Queremos que nosso casamento seja cheio de amor, mas talvez tenhamos nos esquecido da melhor maneira de fazer isso: demonstrando o evangelho. Entregue a própria vida para seu marido ou mulher, mas, em última instância, para Cristo. Você está disposto a morrer? Jesus nos diz, agora mesmo, neste momento: "Se alguém quiser acompanhar-me, negue-se a si mesmo, tome diariamente a sua cruz e siga-me" (Lc 9.23).

Conclusão

A vida só tem sentido em Jesus. Não estamos aqui para contar nossa história, mas sim a dele. Estamos aqui para viver a história de Cristo, não a nossa. "Que é a sua vida? Vocês são como a neblina que aparece por um pouco de tempo e depois se dissipa" (Tg 4.14).

Assim sendo, como você passará seu vapor de vida? E como passará a porção desse vapor chamada casamento? Você tentará levar uma vida autocentrada? Ou fará todo o esforço possível para dirigir a atenção ao único Deus, que é digno de glória? Você tem uma função a desempenhar na história divina. Seu casamento também. Mas tudo isso — sua vida, seu casamento — se perderá em total insignificância a menos que você o use para a glória de Deus.

Sou amado, desejado e salvo por um Deus todo-poderoso. Deus deu a própria vida na cruz a fim de me levar de volta a ele e agora me enche com seu Espírito Santo. Um dia, serei levado por Jesus para a eternidade gloriosa. Mas agora tenho a missão de contar a história de Deus aos outros. Todas essas verdades tornam minha vida radicalmente diferente da vida de quem não crê nisso.

Cristo veio ao mundo a fim de que nós tivéssemos vida plena (Jo 10.10). Quando somos preenchidos por sua vida abundante, nós transbordamos. Temos muito a dar aos outros. É assim que o casamento deveria funcionar: encontramos nossa identidade e realização em Cristo, somos preenchidos até transbordar com o fruto do Espírito e, então, derramamos esse amor, essa alegria, paz, paciência, bondade e gentileza ao cônjuge. Jesus nos preenche tanto que não reclamamos quando outros não satisfazem nossas necessidades. Ele nos dá mais coisas boas do que conseguimos armazenar. Passamos a vida abençoando os outros com as bênçãos que recebemos. "O Senhor é o meu pastor; de nada terei falta" (Sl 23.1).

Faça algo

Acabamos de apresentar muitas verdades profundas. Embora ainda não tenhamos abordado o lado prático de como o casamento deve funcionar, demos a você muito sobre o que pensar em termos de como o evangelho deve transformar seu casamento. Agora chegou o momento da sua resposta.

Passe tempo com Deus
- Encontre um lugar no qual não será interrompido e simplesmente permaneça na presença de Deus.
- Fale honestamente com ele sobre seus temores em relação ao casamento, a culpa do passado, a desconfiança no Senhor — qualquer coisa. Diga tudo.
- Em seguida, dedique tempo para agradecer a Deus pelo poder do evangelho, pela força do Senhor em sua fraqueza. Agradeça pelo dom gratuito da graça transformadora.

Faça uma lista que relacione o evangelho à sua vida
- Faça uma lista de tudo que Jesus fez por você. O que ele realizou? Quais são os desdobramentos disso? Como sua vida foi transformada por aquilo que ele fez? Essa lista não deve ser curta!
- Depois, elabore uma lista de como o evangelho deve transformar seu casamento. Como o exemplo do sacrifício de Cristo deve afetar seu modo de se relacionar com o cônjuge? Em que aspectos o dom do Espírito Santo precisa revitalizar seu casamento? Inclua tanto realidades amplas (como "Isso me dá forças quando não sinto vontade de servir") quanto ações específicas (como "Isso me capacitará a falar com amor ao meu cônjuge quando _____").

3

APRENDA A BRIGAR DIREITO

O casamento à luz do exemplo de Cristo

Vivemos em uma época na qual precisamos dizer aos cristãos que eles devem viver como Cristo. Isso é estranho. O mais esquisito é que as pessoas lutam contra essa verdade. "Cristãos" espertos encontraram formas de explicar por que os seguidores de um servo sofredor devem viver como reis. Para ser honesto, não espero que você tão somente aceite minha afirmação (aparentemente inacreditável) de que os *cristãos* devem se parecer com *Cristo*. Eu o incentivo a ler o Novo Testamento e tirar as próprias conclusões.

É animador descobrir que essa luta não é nova. João viu a necessidade de lembrar os cristãos de que "aquele que afirma que permanece nele, deve andar como ele andou" (1Jo 2.6). Paulo deparou com esse problema quando escolheu sofrer como Cristo, enquanto outros autoproclamados "apóstolos" optavam por honras e riquezas. Ele precisou chamar os cristãos de Corinto a se tornarem seus imitadores, como ele o era de Cristo (1Co 11.1). Observe o sarcasmo de Paulo ao lhes mostrar como ele e os outros apóstolos que seguiam o exemplo de Jesus se diferenciavam dos cristãos que decidiam seguir os falsos mestres que apontavam o caminho do luxo:

> Vocês já têm tudo o que querem! Já se tornaram ricos! Chegaram a ser reis — e sem nós! Como eu gostaria que vocês realmente fossem reis, para que nós também reinássemos com vocês! Porque

me parece que Deus nos colocou a nós, os apóstolos, em último lugar, como condenados à morte. Viemos a ser um espetáculo para o mundo, tanto diante de anjos como de homens. Nós somos loucos por causa de Cristo, mas vocês são sensatos em Cristo! Nós somos fracos, mas vocês são fortes! Vocês são respeitados, mas nós somos desprezados! Até agora estamos passando fome, sede e necessidade de roupas, estamos sendo tratados brutalmente, não temos residência certa e trabalhamos arduamente com nossas próprias mãos. Quando somos amaldiçoados, abençoamos; quando perseguidos, suportamos; quando caluniados, respondemos amavelmente. Até agora nos tornamos a escória da terra, o lixo do mundo. [...] Portanto, suplico-lhes que sejam meus imitadores.
1Coríntios 4.8-13,16

Jesus declarou que segui-lo significa — veja bem — segui-lo. A igreja tem dedicado esforço demais na invenção de uma nova forma de "seguir a Cristo", uma prática que não exige imitá-lo. Ensinamos que, embora Jesus tenha permitido que seus direitos fossem pisoteados, devemos lutar pelos nossos. Ensinamos que, embora Jesus tenha vivido com simplicidade, nós temos o direito de viver no luxo (alguns preferem a expressão "com conforto"). Ao mesmo tempo que ensinamos que Jesus foi rejeitado pelo mundo, buscamos a popularidade. Você já se perguntou quantos seguidores Jesus teria no Twitter? Ou quantas "curtidas" receberiam suas postagens no Facebook?

Se o mundo os odeia, tenham em mente que antes me odiou. [...] Lembrem-se das palavras que eu lhes disse: Nenhum escravo é maior do que o seu senhor. Se me perseguiram, também perseguirão vocês. Se obedeceram à minha palavra, também obedecerão à de vocês.
João 15.18,20

Caso não tenha se convencido, dê uma olhada nestas declarações de Jesus: Mateus 7.13-23; 8.18-22; 10.16-39; 19.23-30;

25.31-46; Marcos 8.34-38; 10.24-45; 13.9-13; Lucas 6.20-49; 9.21-27; 12.49-53; 13.22-30; 14.26-35; 17.22-37; 18.18-30; 21.10-19; João 6.52-69; 15.18-25; 16.1-4; 16.33.
Jesus falou não só sobre seu próprio sofrimento, mas também sobre as adversidades que seus seguidores enfrentariam. Ao ler Atos, descobrimos que os primeiros cristãos sofreram exatamente como Cristo disse que aconteceria. Eles não pareciam surpresos com a perseguição; pelo contrário, viam sua própria desolação à luz do sofrimento de Jesus (1Pe 3.13-18). Aliás, Pedro nos informa o que devemos esperar: "Amados, não se surpreendam com o fogo que surge entre vocês para os provar, como se algo estranho lhes estivesse acontecendo. Mas alegrem-se à medida que participam dos sofrimentos de Cristo" (1Pe 4.12-13).

De Atos a Apocalipse, os apóstolos repetem os ensinos de Cristo. A ideia é clara ao longo de todo o Novo Testamento: os seguidores de Cristo devem imitá-lo. E como Deus nos concedeu o dom inestimável do Espírito Santo, recebemos a habilidade e o desejo de nos tornar semelhantes a Jesus. Portanto, a pergunta é: queremos realmente ser como ele?

Você quer ser humilde como Jesus?

Não temos espaço, neste livro, para revisar todos os atributos de Jesus, por isso queremos nos concentrar em um deles. Tanto Lisa quanto eu acreditamos que, mais que qualquer outra virtude de Cristo, a humildade é a chave para um casamento saudável. Se as duas pessoas tiverem como meta imitar a humildade de Cristo, tudo mais ocupará seu devido lugar. É simples assim. As brigas se intensificam quando o desejo de estar certo é maior que a vontade de ser como Cristo. É fácil ficar cego no calor das discussões. Tudo que queremos é ganhar, mesmo se a vitória vier acompanhada de pecado. Em geral, quem ganha a briga é a pessoa que menos age como Cristo.

Em todo casamento há momentos de raiva e desajustes temporários. Mas você deve determinar sua meta. O que é mais importante: vencer as brigas ou se assemelhar a Cristo? Mesmo em meio ao calor de uma discussão, deveríamos nos perguntar se estamos agindo como Jesus.

Devo admitir: eu adoro vencer. Quando perco em uma partida esportiva, perco o sono também. Fico acordado pensando no que poderia ter feito diferente. Odeio perder. Quando perco uma discussão, penso nas coisas que deveria ter dito. É bom o sentimento que experimentamos depois de dizer algo que silencia o oponente.

Uma das primeiras discussões que Lisa e eu tivemos foi sobre minigolfe. Estávamos ao telefone tentando descobrir o que fazer na sexta à noite. Planejávamos sair com outros dois casais, e ela sugeriu o minigolfe. Eu disse que aquela não era a melhor ideia, pois não seria possível seis pessoas jogarem juntas. Precisaríamos nos separar em dois grupos. Ao que ela respondeu: "Que tolice! Está falando sério? Nada a ver!".

Um homem sábio teria simplesmente deixado para lá, mas eu continuei, explicando que fazia sentido, pois um grupo de seis demoraria muito mais para terminar o jogo do que dois grupos de três. Ela deixou claro que não entendia o que eu estava dizendo e que eu estava errado. Mais uma vez, um homem sábio teria deixado para lá. A pessoa humilde não faz questão de vencer. Eu escolhi o caminho tolo e arrogante. Dei um jeito de enviar um fax para ela — Lisa estava no meio do expediente de trabalho — com um diagrama comparativo entre o ritmo de um grupo de seis e o de dois grupos de três. Fui imaturo. Piorei as coisas, mas ganhei a briga.

Ao longo dos anos, já brigamos por causa das regras de diversos jogos de tabuleiros, do tamanho do meu cérebro, da Mariah Carey, do Papai Noel — e tudo o mais que você imaginar. Também já tivemos discussões mais sérias sobre como disciplinar nossos filhos e gastar nosso dinheiro e tempo. Não brigamos muito, mas brigamos. Somos humanos e ambos amamos vencer. Imagino que não somos os únicos.

Um versículo que coloca nossos pés no chão mais que qualquer outro nessa área é Tiago 4.6: "Deus se opõe aos orgulhosos, mas concede graça aos humildes".

Para aqueles de nós que nutrem a mentalidade de vencer a qualquer custo, esse versículo deveria abalar o mais íntimo de nosso ser. Somente um tolo sacrificaria tanto por uma vitória. Deixe-me inculcar isto em seu cérebro: Deus luta ativamente contra as pessoas orgulhosas. O orgulho necessário para vencer a briga e derrotar o "inimigo" lhe dá um novo oponente: Deus.

Já imaginou algo pior do que lutar contra Deus? Ele luta em favor dos humildes, sobre os quais derrama sua graça. Todos nós amamos vencer, mas isso pode significar que estamos prontos a abrir mão da graça de Deus e entrar em oposição a ele. E, nesse caso, será que há mesmo alguma vitória? Nada é melhor do que a graça de Deus derramada em profusão sobre nós, e nada pode ser pior do que enfrentar a oposição divina.

Quem morreu e o elegeu para ser Jesus?

Todos os dias, o mundo o bombardeia com mensagens de poder, independência e controle. Jesus diz o contrário: morra para o eu.

O apóstolo Paulo afirma: "Fui crucificado com Cristo. Assim, já não sou eu quem vive, mas Cristo vive em mim. A vida que agora vivo no corpo, vivo-a pela fé no Filho de Deus, que me amou e se entregou por mim" (Gl 2.20).

Isso não é um nível avançado de cristianismo. É o que todos nos comprometemos a fazer: morrer para o eu e nos tornar semelhantes a Cristo. No esforço de ganhar "convertidos", muitas vezes os cristãos deixam de contar a história inteira. Queremos que as pessoas nos sigam, por isso, assim como vendedores baratos, compartilhamos os benefícios sem explicar quais são os custos. Falamos sobre as promessas de vida e perdão feitas por Jesus, mas não mencionamos seu chamado ao arrependimento e à obediência. Evitamos a promessa de que seríamos perseguidos. Quando fazemos isso, desvalorizamos o evangelho, cuja beleza está no fato de Cristo ter um valor tão supremo que alegremente sacrificamos tudo para abrigá-lo em nossa vida. Ele é tão belo que seríamos tolos em resistir a nos tornar semelhantes a ele.

> Então Jesus disse aos seus discípulos: "Se alguém quiser acompanhar-me, negue-se a si mesmo, tome a sua cruz e siga-me. Pois quem quiser salvar a sua vida, a perderá, mas quem perder a sua vida por minha causa, a encontrará".
>
> Mateus 16.24-25

> Mais do que isso, considero tudo como perda, comparado com a suprema grandeza do conhecimento de Cristo Jesus, meu Senhor, por quem perdi todas as coisas. Eu as considero como esterco para poder ganhar Cristo e ser encontrado nele, não tendo a minha própria justiça que procede da Lei, mas a que vem mediante a fé em Cristo, a justiça que procede de Deus e se baseia na fé. Quero conhecer Cristo, o poder da sua ressurreição e a participação em seus sofrimentos, tornando-me como ele em sua morte para, de alguma forma, alcançar a ressurreição dentre os mortos.
>
> Filipenses 3.8-11

O batismo foi criado para retratar nossa morte e nosso sepultamento com Cristo. O cristão emerge da água em uma imagem da ressurreição: levantado da sepultura com uma nova vida, uma nova identidade (Rm 6.1-10). Mas eis o problema: pode ser que você não esteja morto. Você pode nunca ter morrido de verdade para o eu. Imagine seu corpo pendurado sem vida em uma cruz. Paulo diz casualmente que é isso que acontece com aqueles que pertencem a Cristo: "o nosso velho homem foi crucificado com ele" (Rm 6.6). Foi com isso que nos comprometemos. Dissemos a Deus que não queremos mais viver para nós mesmos. Queremos que ele assuma o controle. Desejamos um Mestre. Ao contrário de Adão e Eva no jardim, desejamos nos submeter às regras de Deus. Sentimo-nos felizes em nos render. Somos felizes por entregar a vida a ele. "Pois *vocês morreram*, e agora a sua vida está escondida com Cristo em Deus. Quando *Cristo, que é a sua vida*, for manifestado, então vocês também serão manifestados com ele em glória" (Cl 3.3-4).

Traduzindo Jesus
Anos atrás, durante uma pregação que fiz em outro país, a tradução que o intérprete elaborou para uma de minhas frases levou toda a plateia a rir. Normalmente, esse é um bom sinal, mas, nesse caso, eu não havia dito nada engraçado! Com certeza, algo fora distorcido na interpretação. Então um pensamento me veio à mente: esse tradutor pode estar dizendo *o que bem entender* sem que eu me dê conta. Pode estar colocando as próprias palavras em minha boca e eu nunca vou ficar sabendo!

Às vezes, agimos como intérpretes descontrolados. Nossa função é agir como Cristo e contar sua mensagem ao mundo, mas agimos e falamos como bem entendemos. Somos chamados para traduzir Deus. Devemos representá-lo e ser seus porta-vozes: "Somos embaixadores de Cristo, como se Deus estivesse fazendo o seu apelo por nosso intermédio. Por amor a Cristo lhes suplicamos: Reconciliem-se com Deus" (2Co 5.20).

Em vez de falar com voz de trovão vinda do céu, Deus escolheu falar por meio de nós, seus embaixadores. E escolheu o casamento como um *outdoor* no qual pudesse proclamar sua mensagem. Deus nos convida a cultivar um relacionamento conjugal que faça uma representação precisa de quem ele é.

A passagem bíblica mais conhecida sobre o casamento está em Efésios 5. Nesse texto, o apóstolo Paulo explica como nosso casamento deveria refletir o relacionamento entre Cristo e a igreja. Ele também descreve nossos papéis dentro do matrimônio. Existe certo debate em relação a esses versículos. Alguns entendem de maneira literal a descrição dos papéis dentro do casamento, enquanto outros acreditam que tais ordens eram específicas para a época e a cultura do apóstolo, não mais vigorando nos dias de hoje.

Algo que aprendi no seminário é que, qualquer que seja o assunto, sempre há dois lados. E há teólogos mais inteligentes do que eu defendendo cada um desses lados. Então, o melhor que posso fazer é estudar, orar, sondar meu coração e me posicionar. Minha meta é me apresentar diante de Deus e poder dizer: "Eu orei por esta passagem e a estudei. Tentei ignorar meus desejos pessoais e interpretá-la da melhor maneira que poderia. Acredito que é isso que ela significa, por isso fiz meu melhor para viver dessa maneira". Também tento ser humilde em meus pontos de vista, dando espaço para que, à medida que me dedico a mais estudo, oração e sondagem de meu próprio coração, Deus possa me convencer de uma interpretação mais adequada.

Ao longo dos anos, ao estudar essa passagem e as questões de que ela trata, a melhor abordagem que Lisa e eu encontramos é entender os versículos de maneira literal e pô-los em prática tal qual foram escritos. Concluímos que Deus chamou os homens para liderar com humildade e servir às esposas em atitude de sacrifício. Devemos ajudar a mulher a se preparar para o momento de encontro com Deus. Cremos que Deus chamou a esposa para seguir o marido e o encorajar em sua busca a Deus.

Entendemos que a obediência a essas ordens é uma oportunidade única de mostrar ao mundo como pode ser maravilhoso seguir uma liderança espiritual. Vivemos em uma época na qual as pessoas não apenas desconfiam das autoridades como não gostam delas. Isso se reflete na indisposição a se submeterem ao senhorio de Jesus. Com frequência, eu me pergunto quanto disso não é resultado direto da feiura de tantos casamentos "cristãos". E também me pergunto se isso seria diferente se nossos casamentos fossem belos retratos desta passagem:

> Mulheres, sujeite-se cada uma a seu marido, como ao Senhor, pois o marido é o cabeça da mulher, como também Cristo é o cabeça

da igreja, que é o seu corpo, do qual ele é o Salvador. Assim como a igreja está sujeita a Cristo, também as mulheres estejam em tudo sujeitas a seus maridos.

Maridos, ame cada um a sua mulher, assim como Cristo amou a igreja e entregou-se por ela para santificá-la, tendo-a purificado pelo lavar da água mediante a palavra, e para apresentá-la a si mesmo como igreja gloriosa, sem mancha nem ruga ou coisa semelhante, mas santa e inculpável. Da mesma forma, os maridos devem amar cada um a sua mulher como a seu próprio corpo. Quem ama sua mulher, ama a si mesmo. Além do mais, ninguém jamais odiou o seu próprio corpo, antes o alimenta e dele cuida, como também Cristo faz com a igreja, pois somos membros do seu corpo. "Por essa razão, o homem deixará pai e mãe e se unirá à sua mulher, e os dois se tornarão uma só carne." Este é um mistério profundo; refiro-me, porém, a Cristo e à igreja. Portanto, cada um de vocês também ame a sua mulher como a si mesmo, e a mulher trate o marido com todo o respeito.

Efésios 5.22-33

Essa passagem fala tanto aos maridos quanto às mulheres. Começarei abordando os trechos referentes aos homens. Em seguida, Lisa falará sobre as seções relativas às mulheres.

Ame como homem

Maridos, ame cada um a sua mulher. Como? *Assim como Cristo amou a igreja e entregou-se por ela.* Recebi uma tarefa tremenda. Devo ser como Jesus. Meu amor deve lembrar Lisa do amor de Cristo. Quanto mais o tempo passa, mais ela deve sentir que se casou com Jesus. Devo ser tão altruísta que ela se lembre da cruz. Devo ter um padrão de pureza tão elevado que ela nunca tenha motivos para duvidar de minha fidelidade. Assim como ela nunca sonharia em ouvir uma mentira da boca de Jesus, deve ter confiança de que nunca vacilarei no voto que lhe fiz.

No decorrer dos anos, já ouvi muitas mulheres dizerem que, no que se refere ao papel do marido e ao da mulher na Bíblia, a função do homem é muito mais fácil. Sério? Será que você está lendo as mesmas passagens que eu? Eu entendo que as instruções de Paulo para as esposas são difíceis de seguir. Mas o mandamento de amar *assim como Cristo amou* não é "fichinha" nenhuma. Nossos papéis parecem igualmente impossíveis. Graças a Deus por seu Espírito!

A Bíblia ordena aos homens que amem a esposa *assim como Cristo amou a igreja*. Pense nisso. Jesus não ficou sentado no céu falando sobre os sentimentos que tem por você. Seu amor foi além das palavras e dos sentimentos. Jesus era pura ação, sacrifício. Muito antes de você nascer, ele já estava a sua procura — e era ousado! Ele deixou a glória e o conforto do céu por você. Suportou tortura e escárnio por você. Sofreu a ira do Pai por você. Ninguém jamais o amará tanto, nem suportará tamanha dor por sua causa. Ele não ficou sentado passivamente no céu, criticando-o. Ele veio zelosamente em sua direção.

E Jesus diz aos maridos que tão somente sigam seu exemplo.

É impossível demonstrar o amor de Cristo sem dor. Jesus "se entregou" pela igreja. Essa é uma referência a sua morte. Ele não escondeu nada de sua noiva.

Enquanto escrevo isso, fico chocado ao perceber como estou longe desse padrão. Tento imaginar como seria se eu realmente conseguisse pôr essa ordenança em prática. Se há coisas que parecem ficar mais fáceis no decorrer da vida cristã, essa não é uma delas. Às vezes eu me pergunto se um dia conseguirei ser consistente no altruísmo e na atitude de sacrifício. Em cada situação, é necessário morrer para o eu. O padrão de Jesus é absolutamente sobre-humano, e ordens como a de Efésios 5.25 podem nos fazer sentir sobrecarregados.

É por isso que preciso me lembrar a todo instante do poder do Espírito. O chamado requer força sobrenatural, e é exatamente isso que Deus nos proporcionou por intermédio do Espírito Santo.

Parte do problema é que uma boa porção do meu sacrifício por minha esposa parece trivial quando comparado à cruz:

trocar fraldas, fazer tarefas domésticas, comer coisas de que ela gosta — na comparação, tais atos parecem insignificantes. É vergonhoso que eu precise lutar para realizá-los! De certo modo, as ações mais grandiosas parecem mais fáceis, como ser atingido por uma bala em lugar dela. Ou afastá-la de um trem em alta velocidade (já que Lisa sempre brinca nos trilhos do trem). Talvez eu conseguisse reunir coragem para um momento glorioso de sacrifício. Mas preciso olhar para o quadro mais amplo. Não se trata apenas de sacrifícios, grandes ou pequenos, mas sim de caráter. Tem a ver com abrir mão de mim mesmo e pensar constantemente no outro. Preciso me tornar semelhante a Cristo.

Precisamos nos lembrar do motivo pelo qual Cristo se sacrificou: "para santificá-la, tendo-a purificado pelo lavar da água mediante a palavra, e para apresentá-la a si mesmo como igreja gloriosa, sem mancha nem ruga ou coisa semelhante, mas santa e inculpável" (Ef 5.26-27).

Por que Jesus se sacrificou pela igreja? Ele estava nos preparando para o encontro com Deus. Sem esse sacrifício, tal encontro seria terrível. Bastaria Deus vislumbrar brevemente nossos pecados para, então, nos encaminhar a um fim horroroso. Mas Jesus mudou tudo isso. Ele se sacrificou para que possamos comparecer diante dele de forma "santa e inculpável". Foi o ato mais amoroso possível.

Se você quer amar como Cristo, então precisa se preocupar com a santificação de sua esposa.

Embora Jesus já tenha limpado todos os pecados dela na cruz, você continua a ter responsabilidade real. Você deve amar, liderar e se sacrificar de tal modo que resulte na santificação de sua esposa. A coisa mais amorosa que você pode fazer é levar sua esposa a uma intimidade maior com Jesus, a uma maior semelhança com ele.

De forma prática, isso significa incentivá-la a ter tempo a sós com Deus. Sacrifique-se para garantir que ela tenha esse tempo. Isso significa lembrá-la de não amar o mundo, nem as coisas do mundo, mas manter o foco nas coisas eternas. Significa guiá-la rumo a atos de amor que resultarão em recompensas eternas. Homens, vocês já consideraram seu papel como marido nesses termos? Trata-se de uma responsabilidade gigantesca.

Precisa de motivação?

Sou uma pessoa muito egocêntrica. Há dias em que parece que não consigo parar de pensar em mim mesmo. O mais intrigante é que Efésios 5 explica como podemos tirar proveito disso. Paulo nos instrui a amar a esposa como ao próprio corpo (v. 28-29). Não precisamos nos lembrar de alimentar nosso corpo e de cuidar dele. Fazemos isso naturalmente. A analogia de Paulo nos diz simplesmente que devemos considerar a esposa uma extensão de nós mesmos.

Então o apóstolo faz uma declaração fascinante, algo tão chocante e inacreditável que continuo pedindo a Deus que me dê fé para crer nisso de todo o coração. Acompanhe a lógica desta passagem:

> Da mesma forma, os maridos devem amar cada um a sua mulher como a seu próprio corpo. Quem ama sua mulher, ama a si mesmo. Além do mais, ninguém jamais odiou o seu próprio corpo, antes o alimenta e dele cuida, como também Cristo faz com a igreja, pois somos membros do seu corpo.
>
> Efésios 5.28-30

Por que os maridos devem amar a esposa como ao próprio corpo? Porque é isso que Cristo faz por nós. Ele nos alimenta e cuida de nós, "pois somos membros do seu corpo". Não perca isso de vista! Jesus cuida de mim assim como eu cuido do meu corpo! Absorva essa ideia. Você crê nisso? Acredita que o Filho de Deus cuida de você como um membro de seu corpo? Isso deveria enchê-lo de alegria agora mesmo! Separe tempo para meditar nisso e agradecer a Deus por essa verdade maravilhosa.

Quando acreditamos profundamente nessas verdades e meditamos nelas, começamos a entender por que Davi disse: "O SENHOR é o meu pastor; *de nada terei falta*" (Sl 23.1). Davi não era carente. E nós também não precisamos ser assim. Não há nada pior do que um marido carente. Se Jesus cuida de nós como membros do próprio corpo, o que mais poderíamos querer? É por isso que Davi afirmou: "o meu cálice transborda" (Sl 23.5, RA).

Você é carente? Ou transbordante? Quando meditamos em todas as riquezas que temos em Cristo, não conseguimos abarcar tudo. Imagine uma ceia de Natal em que você come a ponto de não ter condições de dar nem uma mordida a mais. Você insiste com todos que comam as sobras porque tem comida demais. É assim que nossa vida deve ser. Estamos cheios de Cristo. Mais do que cheios. Transbordantes. Por isso, voltamo-nos para as pessoas ao nosso redor e compartilhamos a profusão de amor, paz, alegria e vida.

Aqui está o projeto de casamento:

1. Transbordamos por causa do cuidado de Cristo por nós.
2. Então inundamos nossa esposa com o mesmo amor que recebemos de Deus.
3. Em seguida, as pessoas ficam pasmas com o amor extravagante que demonstramos pela esposa.
4. Como resultado, ganhamos a oportunidade de lhes contar sobre nossa motivação: o amor de Cristo.

Infelizmente, pouquíssimos casamentos funcionam dessa maneira. É raro as pessoas se maravilharem ao observar casamentos cristãos. Só chamamos atenção por nossa mediocridade. Suponho que deveria causar espanto o fato de alguém afirmar ter o Espírito de Deus habitando em seu interior e, entretanto, levar uma vida comum.

Mas tudo isso pode mudar. E a mudança começa quando você se regozija por ser membro do corpo de Cristo. "Alegrem-se sempre no Senhor. Novamente direi: Alegrem-se!" (Fp 4.4). Separe tempo para se alegrar em Cristo. Sério mesmo. Nenhuma mulher quer ser liderada por um homem sem alegria. Deixe Cristo encher sua vida a fim de que você tenha muito a dar à sua esposa. Encontre toda a sua segurança e todo o seu valor no fato de você ser filho de Deus, um membro do corpo de Cristo. Ele o alimenta e cuida de você, capacitando-o a fazer o mesmo por sua esposa.

Essa precisa ser nossa motivação. É sua alegria em Jesus que deve motivá-lo a seguir o exemplo dele. Pense em Jesus lavando os pés dos discípulos e depois dizendo-lhes que deveriam fazer isso uns pelos outros. Cristo não lhes pediu que lavassem os pés dele, mas sim uns dos outros. Assim como Jesus cuida de você, você deve cuidar de sua esposa.

Casamento e humildade — *Lisa*

A humildade é algo tão bonito, não é mesmo? No entanto, também é tão difícil de entender! Uma vez que nós nos amamos demais, é uma luta considerar os outros *superiores a nós mesmos* (Fp 2.3).

Certa vez, decidi prestar atenção a todas as vezes que a vontade de brigar começava a crescer dentro de mim. Você conhece o sentimento que tem quando alguém a ofende, quando uma pessoa lhe dá uma má resposta, quando ela demora muito a chegar, não pede desculpas ou deixa de lhe agradecer, quando alguém a menospreza ou é rude de alguma outra maneira. Passei a notar quantas vezes esses sentimentos surgiam dentro de mim, e isso me abriu os olhos. É uma *luta* escolher a humildade e realmente me *revestir* dela.

Paulo instrui: "Como prisioneiro no Senhor, rogo-lhes que vivam de maneira digna da vocação que receberam. Sejam *completamente humildes* e dóceis, e sejam pacientes, suportando uns aos outros com amor" (Ef 4.1-2). Pedro, por sua vez, adverte: "Da mesma forma, jovens, *sujeitem-se* aos mais velhos.

Sejam todos humildes uns para com os outros, porque 'Deus se opõe aos orgulhosos, mas concede graça aos humildes'" (1Pe 5.5). Isso é radicalmente diferente daquilo que sentimos vontade de fazer. É radicalmente diferente do modo mundano de pensar. Não existem revistas com artigos que incentivem a humildade. Em vez disso, somos saturados com mensagens sobre poder, independência e controle. Somos bombardeados de conselhos que nos chamam a ouvir o coração e fazer aquilo que sentimos vontade. A constante apelação do mundo e o ímpeto de nosso coração tornam muito fácil acreditar que merecemos ser tratados de determinada maneira. Não deveríamos precisar ouvir ninguém nos dizendo o que fazer; afinal, somos fortes e independentes.

Fico assustada ao perceber como é fácil começar a pensar como o mundo e nem nos darmos conta disso. Incomoda-me o fato de dedicarmos tanto de nossa mente a coisas tão mundanas. Nosso pensamento se afasta demais das verdades bíblicas! Pense em quanto tempo você gasta, em uma semana normal, assistindo a televisão e a filmes, lendo revistas, navegando na internet e participando das redes sociais. Agora compare com o tempo dedicado à Palavra e à oração. Assustador?

Não estou tentando despertar sentimentos de culpa para fazer você se sentir derrotada. Mas quero realmente lhe dar uma chacoalhada. Nós lutaremos *sim* com uma mentalidade mundana se não tivermos o cuidado de nos proteger contra ela. Você já retornou de um acampamento ou retiro com a vida espiritual nas alturas e então descobriu que tal condição não dura muito depois que volta ao "mundo real"? Por que isso acontece? Porque de repente sua mente é bombardeada por uma cultura que não quer compromisso nenhum com Jesus. Você estava alimentando seu apetite espiritual, mas agora é tentada pelo mundo a alimentar o apetite carnal.

"Não amem o mundo nem o que nele há. Se alguém ama o mundo, o amor do Pai não está nele. Pois tudo o que há no mundo — a cobiça da carne, a cobiça dos olhos e a ostentação dos bens — não provém do Pai, mas do mundo" (1Jo 2.15-16). "Tenham cuidado para que ninguém os escravize a filosofias vãs e enganosas, que se fundamentam nas tradições humanas e nos princípios elementares deste mundo, e não em Cristo" (Cl 2.8). O inimigo é astuto. Da forma mais sutil possível, ele mente para nós acerca de tudo, principalmente daquilo que "merecemos". Ele quer que tenhamos um conceito tão elevado a nosso respeito que nossa reação a um coração humilde seja cair na risada. Enganosamente, toda a sabedoria mundana parece boa.

Este é o melhor lugar para começar nessa batalha por nossa mente: "Acima de tudo, guarde o seu coração, pois dele depende toda a sua vida" (Pv 4.23).

Se meu desejo é demonstrar a humildade de Cristo, necessito de constante orientação das Escrituras para fazê-lo. Sou tão fraca que *preciso* manter os olhos no exemplo de Jesus e orar a todo instante pedindo ao Espírito que me capacite a viver por ele.

Essa é a batalha que precisamos enfrentar todos os dias. Há armas que devemos empunhar a fim de estar prontos para nossa própria defesa, dia após dia. Para viver neste mundo e não permitir que sejamos intimidados ou seduzidos por uma mentalidade antibíblica, necessitamos estar seriamente comprometidos e seriamente vigilantes: "Estejam vigilantes, mantenham-se firmes na fé, sejam homens de coragem, sejam fortes" (1Co 16.13); "Amados, insisto em que, como estrangeiros e peregrinos no mundo, vocês se abstenham dos desejos carnais que guerreiam contra a alma" (1Pe 2.11).

Se não reconhecermos a existência dessa batalha constante e não começarmos a lutar diligentemente, o orgulho se enraizará cada vez mais em nosso coração já propenso a servir ao eu, destruindo nossa vida e nosso casamento.

Já aconselhei e conversei com muitas mulheres que viviam um casamento problemático. Muitas vezes, chorei com elas.

E posso afirmar que, independentemente do tipo de circunstância, de quem era a maior parte da culpa ou de como a situação parecia sem solução, as mulheres sempre reagem de uma das seguintes formas: com orgulho ou com humildade. Todas elas demonstram emoção, choram, suportam dor e lutam profundamente. Mas algumas fazem a escolha de reagir com orgulho, enquanto outras travam uma batalha contra a própria vontade e reagem com humildade.

As pessoas orgulhosas são defensivas, nervosas, gostam de jogar a culpa nos outros e se concentram em si mesmas. Sempre acham que o problema não está com elas, mas sim com o mundo. O evangelho não é o foco, não é o alvo.

As pessoas humildes se quebrantam diante do próprio pecado, mais preocupadas em honrar a Deus que em discutir sobre o que merecem. Elas tentam, pela graça divina, se manter focadas no evangelho e no alvo.

Lembro-me de estar sentada em frente à minha amiga Reisha, cujo casamento estava aos pedaços. Seu marido a traíra e, em determinado momento, pegou as coisas que tinha e foi embora. Agora parecia que ele finalmente estava voltando para casa a fim de se reconciliar com a esposa, mas Reisha estava relutante. Ela me olhou bem nos olhos e disse: "Eu não o amo. Meu coração não sente nada por ele".

Foi sua declaração seguinte que me chocou: "Mas eu amo a Deus e, só por isso, farei o que for preciso. Tudo bem? Tudo bem eu fazer isso por amor a Deus, não ao meu marido?". Para ser honesta, naquele momento um milhão de pensamentos girava em minha mente. A graça de Deus que havia inundado o coração de Reisha me calou. Fiquei completamente emocionada pelo desejo intenso que ela demonstrou de honrar a Deus e obedecer àquilo que sabia que ele lhe pedia. Seu amor por Deus a tornou disposta a fazer o que fosse necessário, a despeito de como se sentia e da quantidade de gente que lhe disse que ela merecia algo "melhor".

Louvado seja Deus, esse casamento foi totalmente renovado. Essa foi uma das primeiras vezes que testemunhei o poder da humildade; impossível negá-lo. Ver Deus agir assim muda a perspectiva das coisas. Quantas vezes as pessoas permitem que o próprio orgulho se coloque no caminho de algo belo que o Senhor está prestes a fazer?

Precisamos nos lembrar a cada momento de que Deus se posiciona ativamente contra nós quando somos orgulhosos (Tg 4.6). Você pode pensar que está batendo o pé contra seu esposo, mas, em última instância, é a Deus que você está se opondo — e convidando a oposição dele em troca.

Deus sempre amou a humildade. Sempre. E ele derrama sua graça com generosidade sobre os humildes. Considere suas brigas com seu cônjuge sob essa perspectiva. Não importa o que ele disse ou fez. A questão é se você quer experimentar a oposição divina ou a graça divina. É mais importante para você estar certa ou fazer o que é certo?

Um dia desses, estava conversando com uma amiga que lutava contra o orgulho. Ela disse: "Se eu pedir desculpas, ceder ou demonstrar humildade, vou sentir como se ele tivesse vencido". Diga o que quiser, mas esse pensamento nos é mais familiar do que gostamos de admitir. Ao mesmo tempo, ela estava infeliz porque sabia que as coisas não estavam certas. Chegou a reconhecer que a situação a distanciava de Deus. Eu a encorajei dizendo que, em última instância, a rendição dela era ao próprio Deus.

Todos conhecemos aquele momento doloroso em que sentimos que é impossível pronunciar a expressão "Desculpe-me". O orgulho toma conta do corpo e da mente. Só há uma coisa que levará você a fazer o que é certo nesse momento: a necessidade avassaladora de estar em dia com Deus. O que mais importa? Chego a ponto de dizer que, se essa não é motivação suficiente para você engolir seu orgulho, talvez seja hora de dar uma boa olhada em seu relacionamento com Deus.

As Escrituras estão repletas de advertências contra a postura orgulhosa. Veja algumas delas: "O orgulho do homem o humilha, mas o de espírito humilde obtém honra" (Pv 29.23); "'Não foram as minhas mãos que fizeram todas essas coisas, e por isso vieram a existir?', pergunta o SENHOR. 'A este eu estimo: ao humilde e contrito de espírito, que treme diante da minha palavra'" (Is 66.2); "O orgulho vem antes da destruição; o espírito altivo, antes da queda" (Pv 16.18); "Ele zomba dos zombadores, mas concede graça aos humildes" (Pv 3.34). "Embora esteja nas alturas, o SENHOR olha para os humildes, e de longe reconhece os arrogantes" (Sl 138.6).

Quando vejo alguém demonstrar humildade, volto-me aos meus filhos e lhes digo: "Isso não é o máximo?". Meu desejo é que eles reconheçam, aprendam e percebam que Deus sempre considerou bela a humildade. Também quero que aprendam que, quando agimos com humildade, estamos seguindo o exemplo de Jesus.

São tantos os casamentos que sucumbem por falta de humildade! Por sermos cristãos, isso não é um tanto triste? Lutamos por controle e igualdade, presos em uma luta de poder, em vez de imitarmos o humilde sacrifício pessoal de Cristo.

Tantas mulheres se concentram no que *não* significa submissão que elas nunca aderem àquilo que o conceito *de fato* quer dizer.

Por muitos anos, ministrei um curso para as mulheres de nossa igreja sobre o que significa ser uma esposa espiritual. Demorei bastante tempo, mas, por fim, cheguei à conclusão de que, se realmente fôssemos humildes, não precisaríamos de um curso desse tipo. Talvez estivéssemos dando ênfase demais ao papel de esposa, subestimando quem Cristo nos chama a ser à luz de seu exemplo. Por baixo de cada luta e discussão vinha essa percepção sutil de que ser como Cristo resolveria muitos de nossos problemas.

Há discussões saudáveis que podemos ter sobre os papéis dentro do casamento. É claro que queremos entender da maneira mais clara possível o que a Bíblia diz. Não quero evitar esses debates, mas, como esposa, gosto de pensar em tais questões do seguinte modo: a melhor forma de nos destacarmos dos não cristãos é mediante nossa submissão respeitosa ao marido. Demonstramos nossa confiança em Cristo e na Palavra de Deus de maneira poderosa quando aceitamos sua instrução de nos sujeitar "cada uma a seu marido, como ao Senhor" (Ef 5.22). Sem dúvida, isso é contracultural. Mas a verdade é que, se temos o desejo genuíno de seguir Jesus, definitivamente não nos encaixaremos nesta cultura.

Seguem alguns princípios para reflexão quanto ao chamado à submissão:

1. Quando somos submissas, submetemo-nos respeitosamente a uma *posição* dada por Deus, não à *perfeição*. Em outras palavras, nosso marido vai cometer erros. Aos nossos olhos, nem sempre ele "merecerá" ser o líder, mas Deus sempre merece nossa obediência nesse aspecto. E, uma vez que a ordem à submissão vem de Deus, nossa submissão suprema é a ele.

2. Somente nossa submissão a Deus deve ser absoluta. Não devemos ser submissas ao marido se ele nos pedir para pecar (ficar bêbadas, fraudar na declaração de impostos, ver pornografia etc.). "É preciso obedecer antes a Deus do que aos homens!" (At 5.29).

3. Fomos criadas para ajudar o marido a fim de que realizemos muito mais *como casal!* Deus decidiu que não era bom para o homem estar só, por isso criou uma auxiliadora para Adão (Gn 2.18). Aceite seu papel dado por Deus. Dê a seu esposo o benefício de seus *insights*, sua sabedoria e sua perspectiva. Mas também lhe dê liberdade para liderar na direção que ele julga proceder do Senhor.

4. Não existe lugar mais seguro do que a vontade de Deus. Se sabemos que o Senhor nos pediu para ser submissas ao marido, nós o seguimos nisso, mesmo que tenhamos medo. Em última instância, há mais mulheres lutando contra Deus do que contra o

esposo. E esse é um dos grandes motivos para haver tantas mulheres completamente infelizes. Deus projetou com todo o cuidado cada aspecto do casamento, e precisamos aprender a confiar nele.
5. O conceito bíblico de submissão não coloca seu marido no lugar de Deus. Caso uma mulher seja sujeita a abuso, não deve hesitar em envolver as autoridades capazes de fazer seu esposo prestar contas. Mas também gostaria de incentivar cada esposa a crer que Deus pode trazer restauração e cura mesmo às situações mais desprovidas de esperança.

No fim das contas, confiamos nossa vida a Deus.

É surpreendente que o próprio Jesus tenha se sujeitado voluntariamente ao Pai a fim de cumprir os propósitos deste. Quando me sinto tentada a reclamar ou me pergunto por que as mulheres receberam o papel da submissão, lembro-me de que o próprio Salvador disse: "Nada faço de mim mesmo" (Jo 8.28) e "Desci dos céus, não para fazer a minha vontade, mas para fazer a vontade daquele que me enviou" (Jo 6.38).

A submissão é bela quando reconhecemos que estamos imitando Cristo. Embora, por direito, Jesus detivesse toda a glória, ele voluntariamente a colocou de lado (Fp 2). Se houve alguém que *merecia* ser tratado de determinada maneira, era ele. Mesmo assim, com alegria, ele se pôs em submissão ao Pai. Incrível! Tire os olhos do mundo por tempo suficiente para permitir que as verdades das Escrituras criem raízes em seu coração.

Dito isso, creio verdadeiramente que, à luz do chamado mais premente estendido a todos os cristãos — isto é, para serem semelhantes a Cristo —, a preocupação com nosso papel dentro do casamento não deve ser tão enfatizada. Lembre-se de que todos recebemos a ordem de ser humildes (1Pe 5.5-6) e de nos sujeitar uns aos outros (Ef 5.21) porque Jesus personificou tais características. Quanto mais você crescer na busca pela semelhança com Cristo, mais porá em prática o papel que recebeu de Deus, e o fará com toda a naturalidade.

"Nada façam por ambição egoísta ou por vaidade, mas humildemente considerem os outros superiores a si mesmos" (Fp 2.3). Como você está se saindo nisso? As pessoas que a conhecem bem logo descreveriam você como alguém humilde?

Conclusão

Pessoas bonitas formam casamentos bonitos. Jesus foi a pessoa mais bela que já andou por este mundo. O melhor que você pode fazer para ter um casamento bonito é almejar, junto com seu cônjuge, tornar-se como Jesus. Embora os maridos recebam a ordem específica de amar como Cristo, Jesus é o padrão para todos os cristãos: "Um novo mandamento lhes dou: Amem-se uns aos outros. Como eu os amei, vocês devem amar-se uns aos outros. Com isso todos saberão que vocês são meus discípulos, se vocês se amarem uns aos outros" (Jo 13.34-35).

Quando ambos têm o objetivo de amar o outro com o amor de Cristo, os conflitos acerca de papéis e responsabilidades se dissipam. Eu busco avidamente o bem de Lisa antes do meu. Não acho insultante, nem mesmo inconveniente precisar servi-la e sacrificar-me por ela. É algo óbvio. É natural. E se Lisa se importa comigo mais do que consigo mesma, é evidente que sentirá o desejo de apoiar minha visão de ministério e vida acima da dela. Imagine um casamento, ou qualquer relacionamento, no qual das duas partes tentam desesperadamente "dar honra aos outros mais do que a si próprios" (Rm 12.10).

Como sabemos, é muito mais fácil falar em ser como Jesus do que pôr em prática essa ideia. Tornar-se semelhante a ele depende de passar tempo ao seu lado. Permanecer próximo a ele. Alegrar-se nele e permitir que ele o alimente e cuide de você como membro de seu corpo.

Muitos de nós gostamos de arranjar soluções para os problemas — e é com essa intenção que abordamos todos os aspectos da vida. Até mesmo nas orações, pulamos para a parte dos pedidos, sem dedicar tempo para apreciar a presença de Deus e suas bênçãos. A vida é corrida, e a intimidade com Cristo acaba sendo sacrificada. Concentramo-nos em tarefas e negligenciamos o desenvolvimento do caráter. O zelo por realizar muito deixa de fora a necessidade de amar muito. Preciso estar perto de Jesus, reconhecer sua presença junto a mim e louvá-lo durante todo o dia.

Buscar a presença de Cristo me ajuda tremendamente. Agora mesmo eu o imagino sentado diante de mim. Ele é forte, destemido, amoroso, puro e humilde. Ele transmite vida por onde passa. Necessito de uma consciência constante de sua presença. Preciso sempre ser atraído para mais perto dele. Sempre preciso pedir que me torne mais semelhante a ele.

Onde quer que você esteja agora, imagine Cristo sentado à sua frente. Pense em como ele agiria. Visualize sua ousadia e humildade. Imagine seu poder e sua graça. Tente pensar nos atos altruístas que ele realizaria se estivesse encarnado hoje. Agora peça-lhe a habilidade de seguir seus passos. Peça a Jesus que viva por meio de você. Que ame por seu intermédio.

Comece a agir *amando* de verdade seu marido ou sua esposa, não só por palavras, mas demonstrando amor assim como Jesus demonstraria. A menos que a Bíblia esteja errada, recebemos a habilidade de andar como Cristo. Precisamos acreditar nisso sempre. Precisamos continuar lutando por isso enquanto aguardamos ansiosos seu retorno.

Faça algo

Tudo que discutimos nesta seção tem importância vital para o casamento, para a vida e para seu relacionamento com Deus. Mas é inegável que humildade e autossacrifício são conceitos difíceis de pôr em prática. Você deve passar literalmente o resto da vida e do casamento tentando viver com mais humildade, em atitude de sacrifício, com respeito às pessoas ao seu redor. Use as sugestões a seguir para começar esse processo, mas não pare por aí. Continue a descobrir mais e mais maneiras de amar seu cônjuge de forma prática.

Passe bastante tempo olhando para Jesus

• Passe algum tempo pensando sobre Jesus. Não se apresse. O que você acha atrativo nele? Que características personificadas por ele atraem você? Que ações realizadas por ele chamam sua atenção?

• Depois de refletir nisso por um tempo, faça uma lista. O que torna Jesus tão atraente?

• Compartilhe seus pensamentos com seu cônjuge. O que ele notou que você não havia percebido?

• Tenham uma conversa honesta sobre como cada um de vocês seria se imitasse essas qualidades de Jesus no casamento. Falem em termos práticos.

Avalie sua semelhança com Cristo

• Em um pedaço de papel, faça uma lista das áreas em que você acredita demonstrar semelhança com Cristo. Não significa que você seja perfeito nessas áreas; apenas anote aspectos nos quais você reconhece alguma semelhança com Jesus.

• Em seguida, faça uma lista das áreas nas quais você precisa crescer na semelhança com Cristo. Seja honesto.

• Compartilhem as listas um com o outro. Não use este momento como oportunidade para fazer aquelas críticas que você estava com medo de compartilhar; em vez disso, tenha uma conversa honesta sobre os aspectos em que vocês não se assemelham a Cristo. Uma vez que todos temos pontos fracos, é útil ouvir a opinião do cônjuge sobre os pontos em que você realmente está indo bem e aqueles nos quais necessita crescer.

• Discutam formas de ajudar o outro nesta jornada de se tornar parecido com Cristo.

• Comecem e terminem este momento em oração, pedindo a Deus que os una ao tentarem se tornar mais semelhantes a ele.

4
NÃO DESPERDICE SEU CASAMENTO
O casamento à luz de nossa missão

Quando minha filha Mercy tinha 5 anos, ela entrou para um time de futebol. Mercy ficou linda no uniforme azul vivo da equipe "Relâmpago Azul". Por ser um pai bastante competitivo, eu imaginava minha filha roubando a bola do time adversário, fazendo gols e vencendo. Por isso, quando vi Mercy e suas amigas de mãos dadas, pulando pelo campo e colhendo flores enquanto o jogo corria, eu fiquei sem saber se deveria rir ou gritar. Acho que fiz um pouco dos dois. Estava claro que ela não se importava em ganhar. Só queria se divertir. Como pai, porém, minha pergunta era: se tudo que ela quer é colher flores, então por que estou pagando para ela fazer parte de um time de futebol? Acho que para tirar algumas fotos legais que a mostrassem usando um uniforme.

Muitos casais agem como jogadores de futebol de 5 anos de idade no que se refere à guerra espiritual na qual nos encontramos. Deus nos convoca a lutar em uma batalha contínua contra as trevas. Nessa batalha, ele nos deu uma missão clara: fazer discípulos. No entanto, vemos a maioria dos casais cristãos andando por aí de mãos dadas, saltando pela vida, ignorando a batalha travada ao seu redor. Fizemos da felicidade da família nosso objetivo de vida. Não foi essa a missão que Jesus nos deu, mas tentamos justificar essa idolatria ao casamento porque é isso que queremos.

Como temos afirmado, o casamento é importante, mas não o mais importante. Quando nos concentramos no que é mais importante, nosso casamento prospera porque passa a funcionar de acordo com o propósito para o qual foi criado. Mas, se focarmos exageradamente a família, acabaremos falhando na vida e, portanto, no casamento.

"Suporte comigo os meus sofrimentos, como bom soldado de Cristo Jesus. Nenhum soldado se deixa envolver pelos negócios da vida civil, já que deseja agradar aquele que o alistou" (2Tm 2.3-4). A Bíblia ensina que estamos em guerra. Trata-se de uma guerra verdadeira contra um inimigo muito real (2Co 10.3-4; Ef 6.10-20). Deus nos deu uma missão, por isso não podemos nos deixar "envolver pelos negócios da vida civil".

Imagine uma casa bonita, com cerca branca, e sua família feliz alojada ali dentro. Agora visualize uma guerra feia acontecendo a poucos quarteirões. Seus amigos e vizinhos estão lutando pela vida enquanto você redecora a cozinha e instala uma nova TV de tela grande. Você contratou pessoas para instalar janelas melhores a fim de conseguir eliminar todo o barulho de fora.

Trata-se de uma imagem patética, mas é uma comparação apropriada para a vida escolhida por muitos casais cristãos. Na expectativa de aproveitar a vida, eles ignoram a missão dada por Jesus. Não caia nessa. A verdadeira vida se encontra na batalha. Agora mesmo temos muitos irmãos e irmãs torturados em outras terras por causa da fé. Oremos por eles e façamos de seu exemplo algo que nos encoraje a entrar na luta. "Pois quem quiser salvar a sua vida, a perderá; mas quem perder a sua vida por minha causa e pelo evangelho, a salvará" (Mc 8.35).

Conforme já mencionamos, parte da missão é ter um casamento saudável. Nosso chamado não implica negligenciar o casamento. Mas um relacionamento conjugal só pode ser saudável se buscarmos o reino de Deus e sua justiça *em primeiro lugar* (Mt 6.33). Combater juntos é o que nos impede de entrar em guerra um contra o outro. Aqueles que têm o Espírito em seu interior desejam fazer parte da batalha. Nós queremos ser usados. Queremos fazer parte da missão.

Neste capítulo, nosso desejo é convidar você a colocar o reino — e não o casamento — em primeiro lugar. Nós o desafiaremos a passar a vida no campo de batalha. De maneira específica, analisaremos oito motivos para centrar seu casamento em torno da missão divina.

Oito motivos para focar a missão

1. Jesus assim ordenou

Esse deveria ser nosso único motivo. Nosso Mestre nos deu uma ordem. Na verdade, esta foi uma das últimas coisas que ele disse antes de subir de volta ao céu.

> Então, Jesus aproximou-se deles e disse: "Foi-me dada toda a autoridade nos céus e na terra. Portanto, vão e façam discípulos de todas as nações, batizando-os em nome do Pai e do Filho e do Espírito Santo, ensinando-os a obedecer a tudo o que eu lhes ordenei. E eu estarei sempre com vocês, até o fim dos tempos".
> Mateus 28.18-20

Embora todas as ordens de Jesus devam ser levadas a sério, o contexto desta orientação lhe confere certo peso adicional. Jesus ressuscitou dos mortos, reuniu seus seguidores e explicou que *toda a autoridade nos céus e na terra* lhe fora dada! Consegue imaginar um cenário mais dramático? O ato de ignorar a única ordem do recém-ressurreto Rei do universo certamente pode ser considerado a coisa mais tola que você pode fazer ao longo da vida.

Qual é a ordem então? Fazer discípulos. Nossa vida deveria girar em torno dessas duas palavras. Como indivíduos ou como casais, nossa missão é fazer o máximo de discípulos possível durante o tempo que passarmos neste mundo. Isso é prioritário sobre todo o resto. Presumindo que você ainda não o fez, sente-se hoje à noite com seu cônjuge e conversem sobre como estruturar a vida de vocês em torno da ordem de fazer discípulos.

Esse mandato deve ditar tudo em sua vida: onde você mora, onde trabalha, como gasta seu dinheiro, seu tempo — tudo! Você não deve tomar uma decisão sequer sem levar em conta as palavras "façam discípulos". Em todo tempo precisamos nos perguntar o seguinte: como podemos abrir mais espaço e obter mais recursos para fazer discípulos?

Quero deixar claro o que isso significa. Jesus estava ordenando que seus seguidores fossem até aqueles que não o conhecem. Deveriam alcançar as pessoas que não têm um relacionamento com ele. Deveriam batizá-los e ensiná-los a obedecer a seus mandamentos.

O chamado de Jesus envolve mais do que estudos bíblicos. Ele quer que vivamos com os outros, a fim de demonstrar uma vida de obediência e lhes ensinar a fazer o mesmo (1Co 11.1). O verdadeiro discipulado envolve colocar nossa casa, agenda e recursos à disposição dos outros, a fim de permitir que estes vejam Cristo e o sigam.

Você existe para fazer discípulos. Seu casamento existe para fazer discípulos. Não queira comparecer sem discípulos diante de Deus ao fim da vida. Reestruture sua vida. Reorganize as prioridades. Você existe para influenciar os outros.

Há tantas outras coisas que precisam ser ditas sobre esse assunto! Eu o incentivo a conhecer a obra *Multiplique: Discípulos que fazem discípulos** e dedicar tempo estudando o material ali compilado sobre o discipulado.

2. Jesus está no campo de batalha

Jesus faz uma promessa surpreendente ao fim da Grande Comissão. Depois de nos mandar ir ao mundo inteiro fazendo discípulos, ele promete nos acompanhar. Não trabalhamos sozinhos: "E eu estarei sempre com vocês, até o fim dos tempos" (Mt 28.20).

---

* Francis CHAN e Mark BEUVING. São Paulo: Mundo Cristão, 2015.

Deus está em missão. Ele está redimindo o universo. Se quero encontrar meu amigo Andrew, em geral vou até a academia. Se quero encontrar Adam, devo procurá-lo na praia. Se quero encontrar Lisa, vou até a loja em que costuma fazer compras. Se quero encontrar Jesus, devo compartilhar o evangelho com alguém. É ali que ele estará. Cristo está no campo de batalha. Ele está cumprindo a missão.

Ouço as pessoas reclamarem que não sentem a presença de Jesus, que não experimentam o Espírito Santo. Em geral, eu lhes pergunto: "Você está ocupado fazendo discípulos?". Afinal, a promessa veio ligada a essa ordem. Mais tarde, Jesus disse aos discípulos que eles receberiam poder quando lhes sobreviesse o Espírito Santo. Mas o poder seria dado a fim de que eles fossem suas testemunhas: "Mas receberão poder quando o Espírito Santo descer sobre vocês, e serão minhas testemunhas em Jerusalém, em toda a Judeia e Samaria, e até os confins da terra" (At 1.8).

Jesus não derramou seu Espírito apenas para podermos senti-lo, como se fosse uma espécie de urso de pelúcia espiritual. Ele nos deu o Espírito e seu poder a fim de sermos suas testemunhas. E ele nos acompanha não para termos uma família feliz, mas sim para fazermos discípulos. É verdade que podemos experimentar sua presença orando no alto de um monte ou adorando com outros cristãos. Mas ele tem uma forma especial de estar por perto quando o acompanhamos em seu campo de batalha.

Certa noite, minha filha fez uma apresentação pública depois da qual eu deveria falar algo. Durante a apresentação, fiquei nos bastidores, implorando a Deus que movesse as pessoas. Eu orava quase em desespero. Dizia mais ou menos o seguinte: "Senhor, por favor, faze alguma coisa enquanto eu prego! Tu sabes que eu peço isso o tempo inteiro! Quero ver teu agir. Tu me dizes nas Escrituras que Elias era um mero homem, assim como eu, mas tu agias quando ele pregava. Tu enviaste fogo do céu e moveste a multidão ao temor e à adoração. Mostra-te enquanto proclamo tua verdade! Por que não respondes? Por que não fazes o mesmo por mim?".

Embora eu não tenha escutado uma voz audível, creio que aquela foi uma das raras ocasiões em que o Senhor me deu uma resposta imediata. Foi mais ou menos assim: "Elias estava no monte Carmelo lutando contra os profetas de Baal. Se eu não tivesse mandado fogo do céu, ele teria perdido a cabeça. Já você... está em um *show* cristão".

Fui lembrado, então, de tantas histórias que amo nas Escrituras. Ao longo da Bíblia, Deus aparece de maneira poderosa quando seus seguidores se arriscam por ele. O Senhor deixou evidente sua presença e seu poder quando Elias chamou centenas de profetas pagãos a reconhecerem o único Deus verdadeiro (1Rs 18). Quando Sadraque, Mesaque e Abede-Nego se recusaram a se prostrar diante do ídolo do rei, foram lançados em uma fornalha superaquecida, dentro da qual descobriram outra Pessoa a seu lado, livrando-os das chamas (Dn 3). Quando Estêvão estava prestes a morrer apedrejado por proclamar Cristo, ele viu Jesus: "Ouvindo isso, ficaram furiosos e rangeram os dentes contra ele. Mas Estêvão, cheio do Espírito Santo, levantou os olhos para o céu e viu a glória de Deus, e Jesus em pé, à direita de Deus, e disse: 'Vejo os céus abertos e o Filho do homem em pé, à direita de Deus'" (At 7.54-56).

Deus costuma aparecer de maneira misteriosa e poderosa no campo de batalha.

Meus melhores momentos nesta vida aconteceram quando experimentei o agir sobrenatural de Deus. Fui movido às lágrimas, em reverência. Não há nada maior do que sentir a presença do Senhor. Os relacionamentos humanos podem ser bons, mas nada se compara ao encontro de um ser humano com Deus. Entre na batalha, corra alguns riscos e você o experimentará também.

3. *Pessoas estão morrendo*

Quatro pessoas morreram enquanto você lia esta frase. Morrem, em média, duas pessoas por segundo. São 155.000 por dia e, dentre elas, muito poucas irão para o céu (Mt 7.13-14). Para mim, isso é deprimente. Assolador. A única maneira de fugir da dor dessa verdade é negando-a ou ignorando-a.

O apóstolo Paulo conta que vivia com "grande tristeza e constante angústia" (Rm 9.2). Pense na intensidade desses termos. Constante angústia? Ele sabia qual era o destino daqueles que não criam em Jesus, e tal conhecimento lhe causava uma dor profunda. O livro de Atos registra os esforços desse apóstolo para alcançar a todos que pudesse, a despeito do alto preço dessa tarefa. Sua vida era um reflexo de suas crenças. Embora muitos de nós afirmemos compartilhar das crenças de Paulo, nossa vida não reflete isso.

Se crêssemos que bilhões estão morrendo e se dirigindo para o juízo divino, será que teria sentido fazer nossa vida girar em torno de qualquer coisa que não fosse a missão de alcançá-los? Não se deixe paralisar pelos números. Apenas faça sua parte. É provável que sua contribuição não seja numericamente expressiva, mas exercerá um impacto eterno na vida daqueles que você conseguir alcançar.

Quando eu era garoto, vi um pastor de jovens perguntar: "Se todos em nosso grupo da juventude fossem exatamente como você, que tipo de grupo teríamos?". Essa é uma ótima maneira de pensar em nossa responsabilidade. É claro que cada um de nós é único e tem um dom diferente. Mas você entendeu a ideia. Se cada cristão compartilhasse o evangelho com a mesma frequência que você, quantos seriam alcançados? Se todos doassem a mesma porcentagem de renda que você, de quanto disporíamos para ajudar os pobres?

Quer saber quantas crianças estão desabrigadas, vivem em regime de trabalho escravo, são traficadas, sofrem estupro ou estão morrendo de fome neste momento? Se quiser, faça uma pesquisa na internet. Há muito trabalho a ser feito. Muitos passam por necessidades desesperadoras — espirituais e físicas. Não podemos ignorar o clamor dessa gente. Às vezes eu me imagino em pânico na África, com minha família desesperada por alimento e água, e penso sobre qual seria minha atitude em relação aos "cristãos" de países abastados. O que eu sentiria se visse como eles vivem e os ouvisse reclamar por não terem o bastante?

Imagine agora mesmo uma família de quatro pessoas na Índia. Eles eram cinco, mas venderam uma das filhas como escrava a fim de que os demais pudessem sobreviver mais um mês. Imagine-os observando a rotina diária da família a que você pertence. O que eles pensariam de seu amor cristão?

O segundo maior mandamento, disse Jesus, é amar ao próximo como a si mesmo (Mt 22.39). Pense nos vizinhos que moram na casa ao lado da sua. Você já os amou assim? Agora imagine os "próximos" que estão na África e na Índia! Lembre-se, Jesus disse que essa atitude é a coisa mais importante que você pode fazer depois de amar a Deus.

> Nisto conhecemos o que é o amor: Jesus Cristo deu a sua vida por nós, e devemos dar a nossa vida por nossos irmãos. Se alguém tiver recursos materiais e, vendo seu irmão em necessidade, não se compadecer dele, como pode permanecer nele o amor de Deus? Filhinhos, não amemos de palavra nem de boca, mas em ação e em verdade.
>
> 1João 3.16-18

Reflita neste testemunho de um homem cristão que viveu na Alemanha durante o Holocausto:

> Ouvíamos histórias sobre o que estava acontecendo com os judeus, mas tentávamos ficar distantes da situação; afinal, o que podíamos fazer para detê-la? Havia uma estrada de ferro atrás de nossa igrejinha, e todos os domingos de manhã ouvíamos o apito a distância e as rodas se aproximando por sobre os trilhos. Ficávamos aflitos quando ouvíamos os gritos vindos de dentro do trem que passava. Percebíamos que ele estava transportando judeus como se fossem gado.

Semana após semana, o apito soava. Detestávamos ouvir o barulho daquelas rodas porque sabíamos que ouviríamos os gritos dos judeus a caminho de um campo de concentração. Aqueles gritos nos atormentavam. Sabíamos os horários em que o trem vinha. E, quando ouvíamos o apito, começávamos a cantar hinos. Quando o trem passava pela igreja, cantávamos em alto e bom som. Se ouvíssemos os gritos, cantávamos ainda mais alto. E logo não escutávamos mais nada.

Embora isso tenha ocorrido há anos, ainda ouço o apito do trem enquanto durmo. Ó Deus, perdoa-me. Perdoa a todos que se denominavam cristãos, mas não fizeram nada para intervir.*

É fácil julgar ao ouvir esse relato. É repugnante descobrir que cristãos abafavam com hinos o som daqueles gritos. Mas o que você teria feito? Analise sua forma de viver. Você realmente teria ido contra a norma e realizado algo? Se todos os outros estavam cantando, por que não cantar junto?

Considerando minha forma de viver, não sei dizer ao certo o que teria feito. Mas sei o tipo de homem que eu gostaria de ser. Todos nós gostaríamos de ser o tipo de pessoa disposta a se levantar e dizer: "Não consigo mais viver assim! Não posso seguir a tendência e fingir que nada está acontecendo!".

É fácil olhar para outros momentos da história e criticar a igreja por sua resposta insatisfatória. Difícil é olhar para o mundo agora mesmo e avaliar o modo como você reage. Seu casamento faz sentido à luz da existência do inferno? O uso que você faz de seu tempo e dinheiro fazem sentido à luz do sofrimento no mundo hoje?

4. Você foi criado para essa missão

Deus o criou por um motivo. Assim como uma torradeira, um semáforo ou um porta-aviões, você foi projetado de maneira

---

* Registrado em Erwin W. LUTZER, *When a Nation Forgets God: 7 Lessons We Must Learn from Nazi Germany*. Chicago: Moody Publishers, 2010, p. 21-22.

específica para um propósito específico. "Pois somos feitura dele, criados em Cristo Jesus para boas obras, as quais Deus de antemão preparou para que andássemos nelas" (Ef 2.10, RA).

O Senhor preparou esse caminho para você "de antemão". Deus disse ao profeta Jeremias que seu rumo estava traçado antes mesmo de seu nascimento: "Antes de formá-lo no ventre eu o escolhi; antes de você nascer, eu o separei e o designei profeta às nações" (Jr 1.5).

Há um motivo para o fato de você ser diferente de todas as outras pessoas. E você tem um dom sobrenatural para oferecer à igreja. Afirmar que você é inútil ou desprovido de talentos é dizer que Deus falhou. "A cada um, porém, é dada a manifestação do Espírito, visando ao bem comum [...]. Todas essas coisas, porém, são realizadas pelo mesmo e único Espírito, e ele as distribui individualmente, a cada um, como quer" (1Co 12.7,11).

Eu achava que estava sendo humilde ao dizer coisas como "Não sou muito talentoso. Sou apenas um cara comum, que não se destaca em nada". Um estudo mais profundo da Bíblia me convenceu de que isso não é humildade, mas sim falta de fé. O *Espírito Santo de Deus* me dá poder! Por que então eu me depreciaria? Se Cristo vive em mim e o Espírito de Deus me dá poder, porque eu não seria poderoso? Não deixe o inimigo lhe dizer nada diferente. Se você é seguidor de Cristo, está cheio de poder divino. O Espírito de Deus derrama poder quando você usa seu dom para o bem do corpo da igreja.

Em geral, sinto-me muito alegre quando termino de ensinar. Experimento uma comunhão única com o Espírito Santo quando uso meu dom para edificar a igreja. Essa é a razão de minha existência.

Todos nós passamos por períodos na vida nos quais pensamos: "Isso não pode ser tudo que existe". Você se sente preso a uma rotina insignificante, e tudo em seu interior sabe que você foi criado para mais. A vida pode ser divertida, com bons relacionamentos, mas você sabe que algo mais intenso está faltando.

Você sente que foi criado para mais e quer experimentar uma comunhão mais profunda com Deus, na qual o poder sobrenatural do Espírito Santo flui por meio de você de maneira inegável. Deseja tocar em Deus, em vez de meramente falar sobre ele. Você anseia por um conhecimento de Deus que transcenda o intelecto, o tipo de conhecimento que vem apenas da experiência. Isso só acontece quando você está envolvido na missão divina. O amor e o poder do Senhor fluem aos outros por seu intermédio enquanto você tenta levá-los ao reino. Não há nada comparado a isso, e não existe outra maneira de alcançar essa comunhão.

Quanto mais velho você fica, maior a chance de entrar em pânico a esse respeito. Talvez você olhe para trás e veja que experimentou muito pouco a presença divina e fez quase nada para o reino. Então, você hesita em encarar a Deus, ciente de que gastou seu tempo e dinheiro consigo mesmo. Já vi pessoas que tiveram essa percepção esmagadora e ficaram deprimidas ou paralisadas. Não é isso que Deus quer. Ele deseja uma geração de idosos dispostos a mudar, mesmo quando ouvem que não vão conseguir. A geração mais jovem necessita do exemplo de homens e mulheres mais velhos que estejam dispostos a se arrepender. Dispostos a admitir que tiveram uma vida egoísta, em lugar de viver voltados para o reino. Ávidos por mudar de rumo e começar a viver para a eternidade. Motivados a advertir os cristãos mais jovens de não repetirem tais erros.

As coisas deveriam funcionar assim: quanto mais velho você fica, mais animado se torna. Você deveria olhar para trás e saber que realizou aquilo para o qual veio a este mundo. Foi exatamente isso que Jesus disse: "Eu te glorifiquei na terra, completando a obra que me deste para fazer" (Jo 17.4).

E Paulo deveria estar em êxtase ao escrever estas palavras para Timóteo:

> Você, porém, seja moderado em tudo, suporte os sofrimentos, faça a obra de um evangelista, cumpra plenamente o seu ministério.

Eu já estou sendo derramado como uma oferta de bebida. Está próximo o tempo da minha partida. Combati o bom combate, terminei a corrida, guardei a fé. Agora me está reservada a coroa da justiça, que o Senhor, justo Juiz, me dará naquele dia; e não somente a mim, mas também a todos os que amam a sua vinda.

2Timóteo 4.5-8

Consegue se imaginar falando isso para alguém um dia?

Paulo estava instruindo o jovem Timóteo a se manter focado na missão, por mais dolorosa que ela se tornasse. Por ser mais velho, Paulo garante que valia a pena manter o foco, pois um dia Timóteo se encontraria na mesma situação que ele. A vida de Paulo estava chegando ao fim, e ele sabia que havia terminado a corrida. Fizera o que deveria ter feito aqui e estava se dirigindo para o céu a fim de receber sua recompensa.

Tente se imaginar no lugar de Paulo nessa ocasião. Sinta sua empolgação. Paulo seguiu a Cristo fielmente apesar de ter começado mal (1Tm 1.12-16). Ele cumpriu sua missão neste mundo, embora tenha sido açoitado, preso e tentado. Agora, aproximava-se da morte, aguardando a recompensa. Quem, com a disposição correta de mente, não gostaria de trocar de lugar com o apóstolo nessa situação? Ter condições de fazer uma declaração como essa no fim da vida — o que mais você poderia desejar? Sua vida está se encaminhando nessa direção?

5. A missão proporciona segurança financeira

Segurança financeira não é necessariamente algo ruim, mas isso depende de onde você a encontra. Quando a maioria das pessoas fala sobre esse assunto, está se referindo a ter uma gorda aposentadoria. Quando Jesus aborda a questão, refere-se aos recursos do reino e à confiança que o Pai proporciona:

Portanto, não se preocupem, dizendo: "Que vamos comer?" ou "Que vamos beber?" ou "Que vamos vestir?" Pois os pagãos é que correm atrás dessas coisas; mas o Pai celestial sabe que vocês precisam delas. Busquem, pois, em primeiro lugar o Reino de Deus e a sua justiça, e todas essas coisas lhes serão acrescentadas.

Mateus 6.31-33

Deus garante que está observando tudo e que conhece suas necessidades. E promete que proverá todas elas *se* você buscar o reino e a justiça dele *em primeiro lugar*. De acordo com essa promessa, se eu me concentrar no reino, tenho garantia de minhas provisões diárias.

O problema dessa promessa é que ela não é suficiente para a maioria de nós. Por nosso estilo de vida, ficaríamos bravos com Deus se ele provesse somente às nossas necessidades. Já vi isso acontecer vez após vez — pessoas questionando a existência de Deus por terem apenas um pouco mais do que necessitam.

Nós, americanos, vivemos em uma terra de luxo, onde o governo já promete as provisões básicas. Assim, atualmente a promessa divina pode ser considerada desnecessária nos Estados Unidos. Embora possamos crer que Deus proveria tudo caso o governo falhasse, a promessa ainda nos parece fraca. Queremos que ele nos garanta determinado padrão de vida. Não nos satisfazemos com a promessa de que ele suprirá nossas necessidades.

Para aqueles que conhecem o contentamento, essa é uma promessa extraordinária. Se você é capaz de dizer, como Paulo, "tendo o que comer e com que vestir-nos, estejamos com isso satisfeitos" (1Tm 6.8), então você não tem nada com que se preocupar. Nunca.

Sabemos que, se buscarmos o reino do Pai, estaremos bem. Deus está ciente de nossas necessidades e as suprirá conforme achar que deve. Comeremos, mas talvez não tenhamos condições de comer em restaurantes. Teremos roupas, mas é possível que elas não formem boas combinações. Teremos água, mas pode não ser mineral. Para quem se contenta, essa promessa é maravilhosa. Elimina todo o nosso estresse. Você nunca sabe o que pode acontecer com o país e com a economia, mas aquele que busca o reino está sempre seguro.

Vejo muitas pessoas construindo seu próprio reino. Ao fazer isso, pode-se ter uma casa maior, um carro melhor e a comida mais sofisticada que existe. Talvez. Mas, nesse caso, o sujeito está por conta própria. Ele sacrifica o conhecimento de que Deus lhe proverá a despeito daquilo que acontecer neste mundo. No entanto, para aqueles que buscam o reino de Deus em primeiro lugar, não é preciso se preocupar nunca. Deus sempre proverá, e é fantástico observá-lo. Algumas das melhores lembranças que Lisa e eu temos são dos momentos em que vimos o Senhor cumprir sua promessa.

6. Esse é o caminho para um casamento feliz

Verdade seja dita: Lisa e eu temos muito pouco em comum. Eu amo esportes, ela não. Ela ama ir ao *shopping center*, eu odeio com todas as forças. Ela gosta de cantar, eu sou tão afinado quanto um boi. Eu amo comida asiática, ela acha esquisita. Eu amo surfar, ela não entra no mar. Ela gosta de ter conversas sérias, eu aprecio o sarcasmo. Ela ama Jesus. Eu amo Jesus. E isso basta.

Nosso amor por Jesus nos une, assim como nosso amor pela missão dele, em particular. Ambos amamos ajudar pessoas a se arrependerem do pecado, se voltarem para Jesus e se encherem do Espírito. Eu amo vê-la compartilhar a fé, discipular mulheres mais jovens, cuidar dos pobres e ministrar às crianças. Pode parecer estranho, mas vê-la ministrar me atrai ainda mais a ela. E ela ama quando eu falo destemidamente sobre Deus, mesmo quando os outros detestam ouvir. Ela incentiva meu ministério e garante que cuidará bem de nossos filhos enquanto eu estiver fora pregando e servindo.

Amamos estar *juntos* em missão. Na verdade, foi nos momentos em que negligenciamos a missão e nos concentramos apenas em nossos desejos que surgiram conflitos. Permanecer na missão é o que nos une cada vez mais.

> Não importa o que aconteça, exerçam a sua cidadania de maneira digna do evangelho de Cristo, para que assim, quer eu vá e os

veja, quer apenas ouça a seu respeito em minha ausência, fique eu sabendo que vocês permanecem firmes num só espírito, lutando unânimes pela fé evangélica.

Filipenses 1.27

O desejo de Paulo para os filipenses é nosso desejo para o casamento. Queremos ter "um só espírito", "lutando unânimes pela fé evangélica". Trabalhamos como um time e vencemos como um time. Honestamente, não passamos muito tempo trabalhando em nossa união. A união acontece como resultado da missão: é consequência de servir ao Senhor.

Se você já participou de uma viagem missionária, é provável que tenha vivenciado o que estou dizendo. Em geral, em viagens desse tipo, somos acompanhados por pessoas totalmente desconhecidas. Ao olhar em volta, notamos que temos muito pouco em comum com os outros missionários. Mas, na hora de regressar, percebemos que um vínculo foi criado. O esforço não estava direcionado à criação desse vínculo. Estávamos focados na missão, mas foi ela que nos uniu.

Pense, ainda, nos jogadores de um time ao se abraçarem com alegria após a conquista de um campeonato. Existe uma união temporária enquanto estão focados no mesmo prêmio. Eles não deram as mãos, nem fizeram sessões de aconselhamento a fim de se tornarem os melhores amigos. Eles se concentraram no campeonato e o vínculo se formou naturalmente. O mesmo se aplica ao casamento e à família.

A união é consequência natural de duas pessoas que seguem o mesmo Espírito em uma vida dedicada à missão.

Já vi casamentos serem salvos pela renovação do foco na missão. Meu amigo Carl estava contando os dias: deixaria a esposa assim que seu filho se formasse no ensino médio e saísse de casa. Carl não sabia, mas a mulher pensava do mesmo modo. Afinal, o filho era a única coisa que eles tinham em comum. O amor que sentiam um pelo outro já tinha acabado havia um tempo. Trata-se de um cenário corriqueiro. É fácil para os casais colocarem todo o foco nos filhos; e, quando estes vão embora, o casamento desmorona.

Algo, porém, aconteceu com a esposa de Carl. De repente, ela ficou obcecada pela missão de Deus para sua vida. Seu coração se voltou para as meninas usadas na indústria do sexo. Ela começou a procurar maneiras de resgatá-las daquela condição e mostrar-lhes Jesus. Com o tempo, começou o próprio ministério de resgatar as moças e ajudá-las a mudar de vida. Sua paixão era tão contagiante que Carl não pôde evitar: passou a ministrar junto com ela. Nas palavras do próprio Carl, quando ele viu a compaixão da esposa, ela se tornou atraente aos seus olhos. Quando se envolveram na missão divina, uniram-se. Hoje, dividem a coordenação desse ministério; e está claro que amam um ao outro.

7. A missão de Deus é mais importante que seu casamento

Muitos consideram 1Coríntios 7 o capítulo que nunca deveria ser incluído em um livro sobre casamento. Afinal, ele fala sobre ser solteiro. Mas ensina uma lição vital para os casados. Na verdade, é possível que essa passagem tenha nos impelido mais que qualquer outra a escrever este livro. É em 1Coríntios 7 que o mesmo Paulo — que, em Efésios, ordenou os maridos a amarem a esposa — nos diz: "aqueles que têm esposa, vivam como se não tivessem" (v. 29). Como assim?

A ideia é que nossa vida aqui é curta. Há uma urgência no período em que vivemos — após a ressurreição de Jesus e antes de sua segunda vinda. Todos temos um chamado de Deus, e esse chamado é maior que nosso casamento. Buscar o reino deve ser nossa prioridade máxima e, se não tomarmos cuidado, o relacionamento conjugal pode atrapalhar.

> O que quero dizer é que o tempo é curto. De agora em diante, aqueles que têm esposa, vivam como se não tivessem; aqueles que choram, como se não chorassem; os que estão felizes, como se não

estivessem; os que compram algo, como se nada possuíssem; os que usam as coisas do mundo, como se não as usassem; porque a forma presente deste mundo está passando.
Gostaria de vê-los livres de preocupações. O homem que não é casado preocupa-se com as coisas do Senhor, em como agradar ao Senhor. Mas o homem casado preocupa-se com as coisas deste mundo, em como agradar sua mulher, e está dividido. Tanto a mulher não casada como a virgem preocupam-se com as coisas do Senhor, para serem santas no corpo e no espírito. Mas a casada preocupa-se com as coisas deste mundo, em como agradar seu marido. Estou dizendo isso para o próprio bem de vocês; não para lhes impor restrições, mas para que vocês possam viver de maneira correta, em plena consagração ao Senhor.

1Coríntios 7.29-35

O último versículo é a chave para a interpretação dessa passagem. É a chave para a vida. Todos nós devemos buscar "plena consagração ao Senhor". Não podemos permitir que o casamento nos distraia do chamado mais elevado. No versículo 34, Paulo deixa claro que o relacionamento conjugal pode afastar nossos olhos de Jesus e levá-los a se concentrar no cônjuge de maneira prejudicial. Acabamos tentando agradar um ao outro em vez de agradar a Cristo. O casamento pode nos levar a uma condição de interesse "dividido", quando nosso real objetivo deveria ser a "plena consagração ao Senhor".

Quando as coisas vão bem no casamento, somos tentados a apreciar mais um ao outro do que a Jesus. Quando as coisas vão mal, podemos permitir que as mágoas do relacionamento conjugal nos distraiam de amar a Jesus. Lisa e eu temos muitos amigos cujo casamento é "bom" segundo a maioria das definições, mas isso parece distrair o casal de sua missão. Será que seu casamento realmente é "bom" se o foco na família impede você de fazer discípulos, cuidar dos pobres, buscar o perdido e usar seus talentos e recursos em prol dos outros? É verdade que um relacionamento saudável ajuda na missão, mas devemos tomar cuidado para não valorizar excessivamente o casamento. Até coisas boas podem se tornar ídolos (Rm 1.25). O objetivo é a "plena consagração ao Senhor". Não permita que a afeição ou as discussões distraiam você da missão e dos desejos de Deus. Isso não quer dizer que o casamento é sempre uma distração. Paulo explica que o matrimônio pode ajudar na missão. Ao casar, alguns acabam se libertando de uma distração. Anteriormente nesse capítulo bíblico, o apóstolo diz que, em alguns casos, o relacionamento conjugal pode nos livrar de tentações sexuais desnecessárias (1Co 7.1-5). Não se esqueça de que o casamento é algo bom. Afinal de contas, foi Deus quem o criou. Ele o estabeleceu no jardim do Éden, antes que o pecado entrasse no mundo. De fato, o casamento pode nos capacitar a fazer muito mais do que seríamos capazes de realizar sozinhos (Gn 2.18-25).

Mas, assim como faz com todas as coisas boas, Satanás pode usar nosso relacionamento conjugal para o mal. Infelizmente, acreditamos que essa se tornou a norma em nossas igrejas. Casamentos autocentrados são aceitos e aplaudidos, em lugar dos casamentos centrados em Cristo.

Nos círculos cristãos, ouvimos muito a frase "Deus em primeiro lugar, a família em segundo". Embora afirmemos isso com frequência, não vejo essa declaração impactar as pessoas verdadeiramente. Pense a respeito. Supondo que sua família ocupe o primeiro lugar, que ações você realmente precisa mudar?

8. *O retorno de Cristo nos compele*
Sinto-me tentado a falar sobre Mateus 24—25 neste momento, mas talvez seja melhor você ler tais capítulos por conta própria. Sério mesmo: pegue a Bíblia e leia esses dois capítulos tão importantes. Ore a respeito deles, leia-os e chegue às próprias conclusões sobre como a volta de Jesus deve impactar nossa vida hoje.

Tentando alcançar o alvo — *Lisa*

Quando mais nova, tudo que eu queria era ser esposa e mãe. Tudo que eu queria era me casar com um homem cristão (casar com um pastor não passava pela minha cabeça) e educar filhos cristãos. Sendo honesta, eu não pensava muito além disso. Não era um desejo ruim — é claro que Deus não queria que eu me casasse com um descrente, e os filhos sempre foram bênçãos. Mas, sem nem me dar conta, eu havia colocado esses papéis em uma posição muito superior à minha verdadeira identidade como filha de Deus. Boa parte de meus esforços se dedicava a ser uma ótima esposa e mãe, em vez de ser uma ótima mulher de Deus.

Para ser franca, nunca orei perguntando a Deus o que *ele* queria de mim. Eu funcionava em piloto automático, seguindo cegamente meus próprios pressupostos acerca de meus propósitos neste mundo. É claro que Deus deseja que eu ame meu marido e eduque bem meus filhos. O perigo chega quando enfatizamos *qualquer coisa* além do fato de que estamos aqui para um propósito.

Você é mais do que um cônjuge. Se foi abençoado com filhos, é mais do que pai ou mãe. Você desempenha um papel singular no reino de Deus, e o Pai tem obras grandiosas para você realizar, planejadas antes de seu nascimento.

Leia este versículo algumas vezes: "Porque somos criação de Deus realizada em Cristo Jesus para fazermos boas obras, as quais Deus preparou antes para nós as praticarmos" (Ef 2.10). Não parece loucura o dever de buscar ativamente as boas obras que Deus planejou desde a eternidade? Não é como se o universo fosse cair em pedaços sem você, mas Deus nos *convidou* para as obras do reino. É *você* quem está perdendo. Sei que eu estava em desvantagem antes de reconhecer que Deus tinha algo maior planejado para mim, algo muito além de meu mundinho pessoal.

Não estou tentando dizer que você deve negligenciar seu cônjuge, ou se ressentir por ter filhos. De jeito nenhum!

Só peço que você considere a existência de um mundo fora da bolha cristã. Desculpe-me se isso parece grosseria, mas eu estava dentro da bolha! E, quando ela estourou, posso ter me assustado, mas também fui liberta. Para alguns, não se trata apenas da bolha cristã, mas sim da boa e velha "idolatria" da família. Gostaria que você se perguntasse seriamente: eu passo mais tempo me concentrando em ser bom cônjuge e bom pai ou mãe, ou focando em ser uma pessoa espiritual?

Estou falando sobre a diferença entre "Vou levar as crianças ao parque hoje porque elas vão amar" e "Vou convidar nossa nova vizinha para ir ao parque conosco porque, além de meus filhos amarem o programa, posso estender a mão a ela e ter a certeza de que ela sabe que estou aqui caso precise de alguma coisa".

Também se trata da diferença muito simples, mas *profunda*, entre conduzir cada dia segundo a agenda pessoal e de fato separar tempo para estar com Jesus, orar e pedir que lhe mostre quem são as pessoas que ele deseja que você ame e quais necessidades dessas pessoas você pode satisfazer.

No emprego, você entende de maneira automática que seu objetivo é cumprir as tarefas que o patrão lhe deu para realizar. Caso realmente não saiba quais são as tarefas mais importantes ou urgentes, você procura seu chefe e pergunta.

Como cristãos, nosso Senhor e Mestre é Jesus. No entanto, negligenciamos muitas das coisas que ele nos pede que façamos. Quando isso acontece, Jesus pergunta: "Por que vocês me chamam 'Senhor, Senhor' e não fazem o que eu digo?" (Lc 6.46).

Quando penso em estar em missão, imagino a figura de um atleta. É provável que eu seja uma das pessoas menos atléticas que você poderia conhecer. Mas sempre *amei* assistir a apresentações de ginástica e patinação no gelo (meninas gostam disso, eu sei.) Muitas vezes, fico pensando em tudo que esses atletas precisam fazer para se tornar tão bons no esporte que praticam. É impressionante! São completamente focados e dedicados. É só ouvir uma das entrevistas que dão e você ficará sabendo de

tudo de que eles abrem mão, dos relacionamentos que sacrificam e do tempo que dedicam aos treinos. Eles vivem com um objetivo em mente. Estão em uma *missão*.
É assim que precisamos viver.

Vocês não sabem que de todos os que correm no estádio, apenas um ganha o prêmio? Corram de tal modo que alcancem o prêmio. Todos os que competem nos jogos se submetem a um treinamento rigoroso, para obter uma coroa que logo perece; mas nós o fazemos para ganhar uma coroa que dura para sempre. Sendo assim, não corro como quem corre sem alvo, e não luto como quem esmurra o ar. Mas esmurro o meu corpo e faço dele meu escravo, para que, depois de ter pregado aos outros, eu mesmo não venha a ser reprovado.

1Coríntios 9.24-27

Nós, cristãos, deveríamos ser as pessoas mais disciplinadas, motivadas, focadas e amorosas do mundo. A missão faz valer a pena o treinamento, o sacrifício e a dor. Se tivermos um único alvo em mente, estaremos dispostos a entregar a vida e a renunciar a tudo em prol da missão para a qual Cristo nos convida.

Não podemos nos dar ao luxo de correr de um lado para o outro sem objetivo, cada um fazendo o que der na telha. Todos temos a responsabilidade de honrar a Deus e percorrer bem a corrida, sem nos importar com o desempenho dos outros. Mas há algo que precisamos encarar: o casamento é um esforço em equipe. Funciona melhor quando tanto o marido como a mulher estão comprometidos com a missão. Quando uma pessoa do time deixa a desejar, tudo dá errado.

Mas é aí que a analogia de Paulo se torna tão poderosa. Talvez você precise carregar peso extra; é possível que tenha de dar ainda mais duro. Mas, quando está na corrida, quando tem o objetivo fixo na mente, faz o que for preciso. Pois, mesmo que a situação seja injusta, mesmo que seja desagradável, o cristão verdadeiro não joga a toalha, não perde. Pode ser que os outros notem, ou não, quem é o lado fraco, e provavelmente você não receberá crédito terreno pelo esforço adicional. Mas você precisa saber que fez tudo que podia para atingir a linha de chegada.

Com frequência, digo às esposas que eu *não* quero comparecer diante de Deus no fim da vida e ouvi-lo dizer: "Por que você atrapalhou seu esposo a fazer tudo aquilo que eu o chamei a realizar?". Isso acabaria comigo! E não quero que Francis ache que não sou capaz de suportar a batalha e, por isso, tenha de me mimar, preocupar-se e esforçar-se para não me pressionar. Deus é confiável. Ele é capaz de suprir *todas* as nossas necessidades. E, se você estiver focado na missão, além de suprir suas necessidades ele lhe concederá graça sobre graça ao observá-lo trabalhar, tocar e mudar vidas bem diante de seus olhos. Então você vai chorar *de verdade*, pensando: "Eu poderia ter perdido tudo isso ao querer que minha filha frequentasse a escola X, ou por medo de como a situação Y afetaria meu filho, ou por ser tão egoísta...".

Se formos honestos com nós mesmos, admitiremos que, muitas vezes, não queremos fazer esforço nenhum em nossa caminhada com Cristo. Não queremos dedicar o tempo de treinamento necessário para manter a vida e o casamento focados na missão. Mas de que outro modo isso iria acontecer?

"Exercite-se na piedade. O exercício físico é de pouco proveito; a piedade, porém, para tudo é proveitosa, porque tem promessa da vida presente e da futura. Esta é uma afirmação fiel e digna de plena aceitação" (1Tm 4.7-9). Amo passagens simples e diretas como essa. Uma vida e um casamento espiritual não são coisas que simplesmente acontecem. Os músculos espirituais precisam de exercícios contínuos, e o fervor pelas coisas de Deus deve receber estímulos regulares. Além de dar a ordem de nos exercitarmos na piedade, logo em seguida Paulo diz: "É para esse fim que labutamos e nos esforçamos sobremodo" (1Tm 4.10, RA). É necessário trabalho contínuo. Paulo precisou lembrar aos filipenses que pusessem "em ação a salvação [...] com temor e tremor" (Fp 2.12). Eles não deveriam agir *para* ser salvos — a salvação é um dom de Deus —, mas foram instruídos a *pôr em ação* a salvação recebida. Então os lembrou da razão de estarem trabalhando: "Pois é Deus quem efetua em vocês tanto o querer quanto o realizar, de acordo com a boa vontade dele" (v. 13).

Posso dar testemunho de que a missão é muito mais empolgante do que a segurança do *status quo*. Sim, às vezes sou tentada a almejar uma vida "comum". Há momentos em que só sinto vontade de ser egoísta e não penso tanto naquilo que Deus quer. Mas é tarde demais. Depois de experimentar a vida de verdade, não há como voltar atrás!

Davi nos incentiva: "Provem, e vejam como o Senhor é bom" (Sl 34.8), e foi isso que aconteceu comigo. Eu provei como é ter uma vida cada vez mais entregue a ele. Eu provei e vi seu amor pelos outros. E, quando ele derrama o mesmo amor em nosso coração, parece-nos superficial e insatisfatório voltar ao velho modo de fazer as coisas. Tenho em minha boca o gostinho dos passos de fé que nos aproximam tanto de Deus que não queremos mais voltar, mesmo se ele o permitisse.

Há desejos que resultam de uma vida missionária. No começo, eu não os tinha. Para ser franca, acho que, no princípio, minha vontade era tão somente *não perder a presença de Deus*. Lembro-me claramente de estar dentro de um avião, observando o céu infinito e orando sobre o que Deus queria fazer com nossa família. Fiquei assustada com o pensamento de que poderíamos nos envolver tanto com a própria vida a ponto de perder de vista o plano divino. Isso me espantou um pouco. Assustava-me a ideia de me entregar a Deus, mas me assustava ainda mais pensar no que eu perderia se não o fizesse.

Assim, eu lhes digo, e no Senhor insisto, que não vivam mais como os gentios, que vivem na inutilidade dos seus pensamentos. Eles estão obscurecidos no entendimento e separados da vida de Deus por causa da ignorância em que estão, devido ao endurecimento do seu coração. Tendo perdido toda a sensibilidade, eles se entregaram à depravação, cometendo com avidez toda espécie de impureza.

Todavia, não foi isso que vocês aprenderam de Cristo. De fato, vocês ouviram falar dele, e nele foram ensinados de acordo com a verdade que está em Jesus. Quanto à antiga maneira de viver, vocês foram ensinados a despir-se do velho homem, que se corrompe por desejos enganosos, a serem renovados no modo de pensar e a revestir-se do novo homem, criado para ser semelhante a Deus em justiça e em santidade provenientes da verdade.

Efésios 4.17-24

Aqueles que não creem levam uma vida voltada para o eu, gananciosa, sensual e indulgente.

Mas quem pertence a Cristo está em missão: deixa para trás o antigo estilo de vida corrupto e adota um eu totalmente novo! Estar em missão significa colocar de lado as coisas que entram em nosso caminho: "Livremo-nos de tudo o que nos atrapalha e do pecado que nos envolve, e corramos com perseverança a corrida que nos é proposta" (Hb 12.1).

Pense mais uma vez na dedicação dos atletas olímpicos. Eles chegam a ficar quase seminus na frente de milhões de pessoas a fim de se desimpedirem tanto quanto possível. O menor volume de roupa pode desacelerá-los, por isso livram-se de todos os obstáculos desnecessários.

Que pecado atrapalha você hoje? O que entra em seu caminho e impossibilita uma boa corrida?

Quais são as coisas que não consistem necessariamente em pecados, mas ainda assim o *distraem*?

Fixar os olhos em Jesus significa desviá-los de todas as outras coisas que encaramos. A televisão? Vídeos na internet? Grupos de compra coletiva? A própria família? Precisamos fazer escolhas conscientes ao longo da vida a fim de permanecer focados na missão.

Lembro-me de certo dia de janeiro quando Francis lançou à nossa família um desafio relacionado à televisão. Ele pediu que, durante alguns meses, dedicássemos tempos iguais à TV e à Bíblia. Então, se lêssemos por trinta minutos, poderíamos assistir à TV por igual período. Adoraria dizer que todos topamos instantaneamente, mas não foi bem assim. Já tínhamos parado de assinar TV a cabo, então eu achava que estávamos muito bem apenas com a Netflix. Além disso, é meio desconfortável precisar abrir mão de uma "liberdade". Mas nem havia como argumentar! Fazia sentido nos treinarmos para dar a Deus aquilo que ele já merecia. (E ele merece muito mais!)

São temporadas de treinamento como essa que nos preparam — e a nossos filhos também — para permanecer focados no motivo de estarmos aqui. Deus nos dá muita liberdade, mas Pedro nos lembra do motivo de ela existir: "Vivam como pessoas livres, mas não usem a liberdade como desculpa para fazer o mal; vivam como servos de Deus" (1Pe 2.16).

Tenho o privilégio de observar outros cristãos viverem como servos de Deus. Lembro-me de uma mulher que teve uma convicção tão forte em relação ao tempo que gastava lendo revistas que cancelou as assinaturas a fim de manter o foco. Penso em minha amiga Jan, que não sabe reproduzir uma única fala de um filme, pois há anos deixou de assistir a eles. Mas sabe citar muitos e muitos textos bíblicos, os quais usa para abençoar e encorajar as mulheres que discipula. Lembro-me de um jovem casal que conhecemos. Os dois poderiam ter comprado uma casa em um bairro tranquilo e "seguro", mas, em vez disso, escolheram se mudar para a região central de uma grande cidade a fim de amar e discipular as pessoas com as quais Deus os cercou. Penso no casal que mora em um apartamento de dois quartos com os três filhos e que abriu a casa para uma mulher que precisava recomeçar a vida após vencer um vício. E lembro-me de um casal que conheci rapidamente e que adotara vários órfãos com necessidades especiais. São pessoas que simplesmente irradiam honestidade, amor e alegria.

Que honra testemunhar o povo de Deus em missão, ver os cristãos vivendo o evangelho! É motivador e atraente. Lembra-me da razão pela qual vale a pena treinar nossa espiritualidade.

Se na vida *não* estamos tomando decisões consideradas esquisitas ou radicais por pessoas mornas, provavelmente precisamos avaliar o que está acontecendo. Os cristãos em missão parecem meio doidos para a maior parte do mundo, assim como a rotina de treinamento de um atleta olímpico parece meio maluca para nós. O que em sua vida revela que você não vive para este mundo?

Quando eu era criança, minha família frequentemente viajava para locais com pouquíssimos recursos. Acampávamos no deserto por vários dias; ficávamos no meio do nada, sem chuveiro, apenas com um banheiro químico e um bico de Bunsen para preparar todas as nossas refeições. À noite, deitávamos em uma duna de areia e sentíamos como se pudéssemos estender a mão e tocar as estrelas. Era de tirar o fôlego! Tenho boas memórias dessas viagens.

Depois de alguns dias, porém, era o fedor do cabelo que tirava nosso fôlego. Fustigados pelo sol o dia inteiro e tendo a pele coberta pelo pó e pela sujeira das estradas de terra, éramos figuras interessantes de se ver. As pessoas nos olhavam de modo "peculiar" quando parávamos para almoçar no caminho de volta para casa. E, quando chegávamos, tínhamos a mais gloriosa sensação ao tomar um banho quente demorado, colocar pijamas confortáveis e limpos e deitar *em nossa cama*. Casa! As noites mais restauradoras de sono aconteciam quando voltávamos de um desses acampamentos.

Não posso deixar de fazer uma conexão com o que acontece em nossa vida. Estamos em um acampamento! Pode ser um acampamento de 78 anos, não importa.

Este mundo não é nosso lar e, embora possamos viver satisfatoriamente e nos divertir até certo ponto, nada nos confortará mais do que a sensação de chegar à nossa verdadeira casa, tornarmo-nos verdadeiramente limpos da longa batalha contra o pecado e a sujeira deste mundo, sermos realmente revestidos de justiça e, por fim, cairmos nos braços de Jesus.

Seria motivo de risada ver as pessoas chegando a um acampamento com carros de luxo, casas pré-fabricadas, roupas imaculadas, plantas em vasos e um *chef gourmet* para cada família. Isso não é acampar. Quando estamos em um acampamento *temporário*, ficamos mais do que contentes com o básico. Não é necessário montar uma casa confortável e bem decorada porque já sabemos que a maior parte do tempo será gasta em busca de aventura. Só precisamos reunir todo mundo, juntar nossas coisas e *cair na estrada*.

Estou muito certa de que, sem a influência de Francis em minha vida, eu não teria uma vida muito "missionária". É estranho (e até mesmo assombroso) imaginar qual seria meu foco se Deus não tivesse me unido a meu marido. Entre as pessoas que conheço, Francis é uma das mais focadas na eternidade — e sou muito agradecida por isso. Quando namorávamos, eu admirava seu temor ao Senhor, sua seriedade ao seguir Cristo e sua visão elevada das Escrituras. Sem contar que ele também me fazia rir o tempo inteiro; eu sentia vontade de estar sempre ao lado dele.

Depois que nos casamos, eu continuava a admirar essas coisas, mas agora elas estavam pegando no meu pé! Ele pensava nas decisões de uma maneira que eu nunca havia feito e, às vezes, eu me sentia espiritualmente fracassada. É engraçado olhar para vinte anos atrás e perceber como eu era egocêntrica até mesmo em relação ao crescimento espiritual. Eu pensava: por que isso não é natural para mim? Será que ele pensa mal de mim por causa disso? Por que eu preciso abrir mão das coisas? Não estou convencida disso! Não podemos simplesmente viver como todo mundo?

Mas louvado seja o Senhor! Quanto mais eu crescia na fé e quanto mais meu esposo guiava nosso lar com consistência, mais liberdade, alegria e paz eu experimentava. Ter ao meu lado alguém que considera "tudo como perda, comparado com a suprema grandeza do conhecimento de Cristo Jesus" (Fp 3.8) é meu maior presente nesta vida.

Às vezes, as coisas parecem mais "estranhas" do que realmente são apenas porque você ainda não as fez por vezes o suficiente. A beleza de decidir viver com propósito, com a missão em mente, é que tudo se tornará cada vez mais familiar à medida que você prosseguir. Os primeiros passos e as primeiras mudanças parecem esquisitos e difíceis, mas depois um belo ritmo se instala. Você descobre que, mesmo ainda existindo momentos de resistência (ou tentação), seu desejo é permanecer no trilho certo. Você não quer perder a bênção proveniente de fixar os olhos no que importa de verdade.

Conclusão: já falamos demais

Observe o que diz Mateus 25.21: "O senhor respondeu: 'Muito bem, servo bom e fiel! Você foi fiel no pouco, eu o porei sobre o muito. Venha e participe da alegria do seu senhor!'".

Há algo que você gostaria de ouvir da boca de Deus mais do que "muito bem"?

Não "bem falado" ou "bem pensado", mas "*muito* bem". A ênfase é na ação do servo. Faça algo. Use seu conhecimento, seus dons e bens hoje. Você tem uma missão a cumprir.

Faça algo

A missão sempre está diante de nós: fazer discípulos. A agenda lotada, o foco excessivo na família, a busca pelos desejos pessoais — essas coisas não negam a missão, apenas mostram que você a tem negligenciado. É hora de focar novamente o chamado. Isso envolverá todos os aspectos de sua vida. Use as sugestões a seguir para começar, mas não se limite a elas.

Avalie sua busca pela missão
- Sente-se com seu cônjuge e avaliem com honestidade a devoção de vocês à missão que Deus lhes concedeu.

- Que aspectos da vida demonstram que a missão dada por Deus de fazer discípulos significa algo para vocês?
- Que aspectos da vida estão em evidente desobediência à ordem divina de fazer discípulos?
- Pensando de forma bem prática, com vocês podem começar a reestruturar a vida priorizando o "fazer discípulos"?

Aja imediatamente
Embora esta ordem também exija uma reestruturação completa de sua vida, você precisa fazer algo agora mesmo. Não dá para continuar adiando a missão divina.

Junto com seu cônjuge (e talvez com a família inteira), decida pelo menos uma coisa que vocês podem fazer para tirar o foco de si mesmos e colocá-lo na missão de Deus. Considere as seguintes ações:

- Encontre uma maneira de servir outra pessoa. Se sua igreja tem ministérios, mergulhe em um deles imediatamente. Se você conhece alguém que precisa de alimento ou dinheiro, ajude agora mesmo. Se conhece alguém que poderia receber ânimo, junte a família e faça isso acontecer de maneira criativa.
- Retire (pelo menos temporariamente) alguns destes itens que podem ser bons, mas funcionam como distrações: TV, compras, *hobbies* etc.
- Pergunte a seu pastor o que sua igreja está fazendo para cumprir a missão divina e como você pode ajudar (se você não faz parte de uma igreja atualmente, este é o momento de procurar uma).
- Inicie um diálogo com alguém que você possa começar a discipular ou que possa discipular você. Pode parecer um passo gigantesco, mas é importante. Se você não sabe por onde iniciar, reunimos bastante material de auxílio na obra *Multiplique*.

5

HÁ ESPERANÇA PARA NÓS?

O casamento à luz das promessas de Deus

"Eu disse! Eu disse que valeria a pena! Isso é incrível!"
Eu me imagino gritando isso quando me encontrar com Lisa e as crianças no céu. Não serão mais minha esposa e filhos, mas amaremos uns aos outros mais do que nunca. Eu me vejo olhando dentro dos olhos de cada um e dizendo: "Eu disse que nós conseguiríamos! Eu sabia que Deus seria fiel a suas promessas. Sabia que cada sacrifício valeria a pena. Isso é doido demais! Deus é fantástico!".

Esse é o final perfeito para mim. É isso que considero "viveram felizes para sempre". Agora eu trabalho de trás para a frente: o que posso fazer hoje para garantir que minha história termine assim? Todos nós deveríamos tomar decisões em retrospecto. Imagine-se de pé diante de Deus no momento de sua morte, olhando para trás e vendo o tempo que passou neste mundo. Nessa hora, do que vai se arrepender? O que vai apreciar? Como seria sua vida se você fizesse suas escolhas com base nisso?

Podemos ter a certeza de que estamos a caminho do céu se cremos em Jesus. Mas Deus nos abençoa ainda mais: ele promete recompensar todo sacrifício feito por amor ao seu reino (Mc 10.28-30). Aliás, é impossível agradar a Deus sem acreditar em suas recompensas. "Sem fé é impossível agradar a Deus, pois quem dele se aproxima precisa crer que ele existe e que recompensa aqueles que o buscam" (Hb 11.6)

Eu costumava pensar que era errado receber recompensas por servir a Deus. Afinal, nós não deveríamos querer servi-lo apenas por causa de tudo aquilo que fez por nós? Ele já não nos deu muito mais do que merecemos? Sim. Com certeza. Mas não podemos desconsiderar o fato de que Jesus nos diz para acumular "tesouros nos céus" (Mt 6.20). Ao longo de todo o Novo Testamento, somos informados sobre o que ganhamos ao servi-lo.

Um dia desses, você deveria fazer um estudo sobre "recompensas". O Novo Testamento fala mais sobre o assunto do que você imagina. Se quiser começar o estudo agora mesmo, inicie lendo estas passagens: 1Coríntios 3.10-15; 2Coríntios 4.17-18; Marcos 9.38-50; 10.28-30; Mateus 5.1-12; 6.1-8,16-21; 10.40-42; Lucas 6.20-36; Colossenses 3.23-25 e Apocalipse 11.16-18.

Na verdade, essas bênçãos nos impedem de depender da justiça própria. Elas tiram a atenção do nosso sacrifício e colocam a ênfase na generosidade divina. A eternidade não vai girar em torno daquilo que "eu sacrifiquei", mas sim daquilo que "ele me deu". Deus será o centro das atenções. Passaremos a eternidade nos maravilhando na "incomparável riqueza de sua graça" (Ef 2.7).

Deus garante essas recompensas e se agrada quando as buscamos. Portanto, devemos andar pela vida alegremente, resistindo às tentações, compartilhando o evangelho e nos sacrificando pelos pobres, sabendo que as recompensas futuras superam em muito qualquer sofrimento.

A eternidade muda tudo

"Se é somente para esta vida que temos esperança em Cristo, somos, de todos os homens, os mais dignos de compaixão" (1Co 15.19). É verdade. Paulo seria digno de compaixão se não houvesse ressurreição dos mortos. O contrário também é verdadeiro: se existe ressurreição, Paulo pode ser invejado. Se você pudesse vê-lo agora, sentiria inveja. Ficaria com vontade de trocar de lugar com ele, não é mesmo? Todos os sacrifícios da vida de Paulo lhe renderam uma recompensa que ele desfruta ao longo dos últimos dois mil anos. Ele não tem nem um pingo de arrependimento pelos sacrifícios que fez aqui.

> Por isso não desanimamos. Embora exteriormente estejamos a desgastar-nos, interiormente estamos sendo renovados dia após dia, pois os nossos sofrimentos leves e momentâneos estão produzindo para nós uma glória eterna que pesa mais do que todos eles. Assim, fixamos os olhos, não naquilo que se vê, mas no que não se vê, pois o que se vê é transitório, mas o que não se vê é eterno.
> 2Coríntios 4.16-18

Encare o invisível. O eterno. Não deixe o que é transitório cegar você.

Gastamos tempo demais olhando para coisas temporárias. É exatamente isto que Satanás deseja que você faça: ignorar a realidade. Ignorar a eternidade. Duvidar das coisas que Deus diz serem verdadeiras e significativas. O diabo bombardeia você com questões passageiras. Ele tenta fazê-lo amar aquilo que não dura. Como ele está se saindo?

Tente fazer algo: feche os olhos e esqueça tudo aquilo que é temporário. Então fale com Deus sobre as coisas invisíveis e eternas. É preciso muito esforço e reflexão profunda, mas orei para que você faça isso. Portanto, separe alguns minutos e tente.

Tenha expectativa

Não tenho nenhuma estatística que comprove o que vou dizer, mas, com base em minha experiência, creio que no mínimo 95% dos "cristãos" escolheriam não deixar sua família caso tivessem a oportunidade de estar com Jesus. Você pode justificar quanto quiser, mas algo está errado nessa história. Paulo reconhecia o valor de permanecer neste mundo para ministrar às pessoas ao seu redor, mas seu maior desejo era estar com Jesus (Fp 1.21-26). Se você prefere ver seus filhos crescerem a contemplar a face do Salvador hoje, ainda não aprendeu a beleza de Deus. Se você se preocupa com o que aconteceria a seus filhos caso partisse deste mundo, não compreende a providência divina. Ore pedindo um entendimento mais profundo do valor e da soberania de Deus. Ore com fervor, até se apaixonar pela ideia de ver a face do Senhor.

Quando Lisa e eu ficamos noivos, eu disse a ela, em tom de brincadeira, que queria que Cristo voltasse, mas tinha a esperança de que ele esperasse até o fim de nossa lua de mel. Não fui nenhum anjo, mas, pela graça de Deus, consegui me manter virgem até o casamento. Por isso, a noite de núpcias era algo pelo qual eu estava disposto a adiar o céu. Falei como se fosse piada, mas Deus sabe muito bem que aquele era meu desejo genuíno. Eu valorizava o Senhor, mas não tanto assim. Eu o queria muito, mas não mais do que tudo.

Sempre há algo acontecendo: o casamento, o nascimento de um filho, a chance de ver os filhos crescerem, a possibilidade de acompanhar a vida dos netos. Sempre existe algo imediato e atraente que nos impede de aguardar o céu com grande expectativa. Para alguns, a falta de empolgação pode ser causada pela falta de meditação. Talvez você não pense muito no céu. Para outros, a ausência de expectativa pode ser proveniente de algo mais profundo: a falta de fé.

Resista à dúvida

Faz pouco tempo, pediram-me que pregasse sobre a fidelidade de Deus. Eu já havia pregado sobre vários atributos divinos ao longo dos anos, mas nunca de maneira específica sobre sua fidelidade. Quanto mais estudava e orava, mais ficava evidente que eu tinha dificuldade para confiar. Assim como todos os que leem este livro, eu havia ouvido mentiras a vida inteira. E também já menti para os outros. Mesmo se eu disser que confio em alguém, isso significa que meu índice de confiança nessa pessoa talvez chegue a 85%. Os dias de total confiança, 100%, desapareceram em algum momento da infância. Embora confie em minha esposa mais do que em qualquer outra pessoa, ainda estou na casa dos 90%. Tudo bem, talvez noventa e muitos.

À medida que a vida continua, meu ceticismo só cresce. No passado, eu ficava chocado com as mentiras das pessoas. Hoje me surpreendo com a honestidade. É possível que alguns não lutem com essa questão, mas a maioria sim. E não creio que seja necessariamente errado ter esse tipo de ceticismo. Jesus era cético:

> Enquanto estava em Jerusalém, na festa da Páscoa, muitos viram os sinais milagrosos que ele estava realizando e creram em seu nome. Mas Jesus não se confiava a eles, pois conhecia a todos. Não precisava que ninguém lhe desse testemunho a respeito do homem, pois ele bem sabia o que havia no homem.
>
> João 2.23-25

Todos somos mentirosos até certo ponto. Logo, o ceticismo não deveria nos surpreender. Sabemos que já mentimos; portanto, é seguro presumir que os outros também mentem. É por isso que necessitamos de contratos. A palavra de uma pessoa não é suficiente. Este é o mundo em que vivemos. Mas isso se torna pecado quando o hábito de desconfiar abrange as promessas de Deus. Antes de nos darmos conta, começamos a tratar a palavra do Senhor como a das pessoas à nossa volta.

Você já se pegou de guarda alta? Você parte do princípio de esperar o pior para não se decepcionar. As pessoas o desapontaram e você se recusa a se magoar de novo. Protege-se da decepção, mas, nesse processo, perde a habilidade de ter esperança. Deus não quer que seus filhos vivam assim. Ele deseja que brilhemos cheios de expectativa. Quer que sejamos confiantes e empolgados com nosso futuro no céu. Deseja que nos gloriemos na esperança (Hb 3.6). Não deixe as mentiras do passado extinguirem sua alegria pelas promessas de Deus para o futuro. Celebre o céu hoje. Embora as pessoas mintam para nós, o Senhor nunca faltará com a verdade.

Paulo, servo de Deus e apóstolo de Jesus Cristo para levar os eleitos de Deus à fé e ao conhecimento da verdade que conduz à piedade; fé e conhecimento que se fundamentam na esperança da vida eterna, a qual o Deus que não mente prometeu antes dos tempos eternos. No devido tempo, ele trouxe à luz a sua palavra, por meio da pregação a mim confiada por ordem de Deus, nosso Salvador.

Tito 1.1-3

Faça um teste agora mesmo. Em uma escala de um a dez, qual é seu nível de empolgação pelo céu hoje? Até que ponto a promessa do céu afetou sua atitude e suas ações na semana passada?

Fiquei triste ao perceber que eu duvidava das promessas de Deus. Orei pedindo a ele que me ajudasse a confiar até me encher de expectativa. Lembra-se daquela época, quando criança, em que você mal conseguia dormir na véspera de Natal pela empolgação de poder abrir os presentes no dia seguinte? A expectativa demonstrava que você não tinha dúvida nenhuma. Devemos ter uma expectativa ainda maior acerca de Jesus. Se não o aguardamos com avidez (Hb 9.28), algo está errado.

Peça a Deus que restaure sua esperança. Não o tipo de "esperança" que consiste em desejar vagamente que algo aconteça, mas uma esperança que funciona como âncora para sua alma (Hb 6.19). Medite nas promessas divinas e ore pedindo fé. "Saibam, portanto, que o SENHOR, o seu Deus, é Deus; ele é o Deus fiel, que mantém a aliança e a bondade por mil gerações daqueles que o amam e obedecem aos seus mandamentos" (Dt 7.9). "Se somos infiéis, ele permanece fiel, pois não pode negar-se a si mesmo" (2Tm 2.13).

Faz parte da natureza divina ser fiel. Há algumas coisas que Deus não pode fazer: ele não pode deixar de ser fiel; ele não pode mentir. Então, descanse e alegre-se nas promessas divinas.

Imagine

É difícil imaginar como será o futuro, mas deveríamos fazer isso. É justamente esse o propósito de a Bíblia descrever nossa existência futura. Deus quer que fiquemos empolgados. Nossa empolgação prova que acreditamos na ressurreição de Cristo e na nossa também.

Pensei em tentar descrever as alegrias do céu para você. Gostaria que você as sentisse, que ficasse empolgado com o lugar para o qual estamos nos dirigindo. Mas minhas palavras não fariam justiça. Em vez disso, é melhor que você leia o texto a seguir, extraído das últimas páginas da Bíblia. Apocalipse usa imagens vívidas o bastante para descrever o céu, que fazem nossa imaginação sonhar alto, cheia de expectativa. Esse é nosso destino. O céu e a terra se unem e o próprio Deus habita em nosso meio. Leia esta passagem devagar, tentando visualizar com os olhos da mente. E continue lendo até se perceber ansiando pelo céu com evidente empolgação.

> Então vi novos céus e nova terra, pois o primeiro céu e a primeira terra tinham passado; e o mar já não existia. Vi a Cidade Santa, a nova Jerusalém, que descia dos céus, da parte de Deus, preparada como uma noiva adornada para o seu marido. Ouvi uma forte voz que vinha do trono e dizia: "Agora o tabernáculo de Deus está com os homens, com os quais ele viverá. Eles serão os seus povos; o próprio Deus estará com eles e será o seu Deus. Ele enxugará dos seus olhos toda lágrima. Não haverá mais morte, nem tristeza, nem choro, nem dor, pois a antiga ordem já passou".
>
> Aquele que estava assentado no trono disse: "Estou fazendo novas todas as coisas!" E acrescentou: "Escreva isto, pois estas palavras são verdadeiras e dignas de confiança".
>
> Disse-me ainda: "Está feito. Eu sou o Alfa e o Ômega, o Princípio e o Fim. A quem tiver sede, darei de beber gratuitamente da fonte da água da vida. O vencedor herdará tudo isto, e eu serei seu Deus e ele será meu filho. Mas os covardes, os incrédulos, os depravados, os assassinos, os que cometem imoralidade sexual, os que praticam feitiçaria, os idólatras e todos os mentirosos — o lugar deles será no lago de fogo que arde com enxofre. Esta é a segunda morte". [...]

Não vi templo algum na cidade, pois o Senhor Deus todo-poderoso e o Cordeiro são o seu templo. A cidade não precisa de sol nem de lua para brilharem sobre ela, pois a glória de Deus a ilumina, e o Cordeiro é a sua candeia. As nações andarão em sua luz, e os reis da terra lhe trarão a sua glória. Suas portas jamais se fecharão de dia, pois ali não haverá noite. A glória e a honra das nações lhe serão trazidas. Nela jamais entrará algo impuro, nem ninguém que pratique o que é vergonhoso ou enganoso, mas unicamente aqueles cujos nomes estão escritos no livro da vida do Cordeiro.

Apocalipse 21.1-8,22-27

Não desista. Tudo valerá a pena — *Lisa*

Ter um casamento caracterizado pela humildade e focado na missão requer compromisso e sacrifício. Mas não é apenas trabalho, sem diversão nenhuma. Deus promete incluir benefícios que influenciam nosso tempo aqui na terra, assim como no céu. "Não se deixem enganar: de Deus não se zomba. Pois o que o homem semear, isso também colherá. Quem semeia para a sua carne, da carne colherá destruição; mas quem semeia para o Espírito, do Espírito colherá a vida eterna" (Gl 6.7-8).

Se é esse o caso, podemos ter a confiança de que, ao semear para o Espírito em nosso casamento, colheremos bênçãos espirituais no relacionamento conjugal. Você já parou para pensar nisso? A Bíblia diz que o fruto do Espírito é amor, alegria, paz, paciência, amabilidade, bondade, fidelidade, mansidão e domínio próprio (Gl 5.22-23). Não conheço muitas pessoas que olhariam para essa lista sem desejar viver tudo o que ela apresenta. São coisas que você vai experimentar ao viver cheio do Espírito.

Como, então, podemos "semear para o Espírito" em nosso casamento? Ao ler as Escrituras, percebi que esse é um conceito bem forte. Se queremos nos empolgar com a colheita de benefícios espirituais, precisamos saber que é possível semear a coisa certa.

Dito de forma prática, devemos começar com a semente da oração. Qual foi a última vez que você orou com fervor de maneira específica por seu casamento? E quando o fez, com zelo, especificamente por seu marido ou sua mulher? Não quero parecer dramática, mas a oração muda tudo! Ela abre a linha de comunicação com o Espírito Santo. Não há nenhuma outra maneira de invocar a sensibilidade necessária para conseguir ouvir a voz do Senhor. Sim, devemos ler as Escrituras e conhecê-las, mas, sem conversar com Deus em oração, ficamos aleijados. Muitas vezes, Jesus se afastava da multidão a fim de falar a sós com o Pai. Quem somos nós para achar que podemos viver sem fazer o mesmo?

Quero que você pense na vida das pessoas mais espirituais que conhece. Reflita sobre o que as torna diferentes. Meu palpite é que elas se caracterizam pela lista de Gálatas. São amorosas, alegres, pacíficas, bondosas. Estou certa? Pergunte-lhes como começaram a desfrutar tais bênçãos espirituais. Sem exceção, todas as pessoas piedosas que conheço são homens e mulheres de oração, são pessoas da Palavra e de ação.

Uma das promessas mais maravilhosas de Deus é que ele nos ouve e responde quando clamamos humildemente: "Na minha angústia, invoquei o SENHOR, gritei por socorro ao meu Deus. Ele do seu templo ouviu a minha voz, e o meu clamor lhe penetrou os ouvidos" (Sl 18.6, RA).

A promessa não é que sempre receberemos a resposta desejada, mas sim que Deus nos ouvirá. O Senhor ouve nosso clamor e, caso desejemos viver por seu reino, ele imediatamente nos conduz nessa direção.

Ao usar uma ilustração agrícola (semear para o Espírito), o apóstolo Paulo faz uma de minhas promessas preferidas. Os agricultores precisam ser bem pacientes. Eles preparam a terra, trabalham o solo, plantam a semente, irrigam a plantação e cuidam dela, protegem-na de influências externas e, por fim, colhem e aproveitam os frutos de seu labor.

"E não nos cansemos de fazer o bem, pois no tempo próprio colheremos, se não desanimarmos" (Gl 6.9). Sei que alguns de vocês estão cansados. Sei que muitos lutam todos os dias para manter a mente e o coração focados nas coisas certas, sobretudo em meio a um casamento difícil. Imagino que, em alguns dias, você sente vontade de desistir. É a esta promessa que você deve se apegar: você terá uma colheita se não desanimar.

"Pois os nossos sofrimentos leves e momentâneos estão produzindo para nós uma glória eterna que pesa mais do que todos eles" (2Co 4.17). Há um peso de glória eterna do qual você não pode desistir! Glória. Eterna. Como vale a pena apegar-se a essa promessa! Não se prenda tanto àquilo que seu casamento é ou deveria ser a ponto de esquecer como será sua vida ao longo de toda a eternidade, as promessas que você desfrutará por milhares de anos! Não subestime o poder do exemplo quando um cristão age tomando posse das promessas divinas, mesmo que elas só se cumpram por ocasião de nossa chegada ao céu.

De quando em quando, chego à mesma conclusão: comumente desejamos que o casamento nos ofereça coisas que podemos e deveríamos buscar em Deus. Ele é o Supremo Guardador de promessas.

Às vezes, espero me sentir pessoalmente valorizada por meu marido. Quero ser enaltecida, adorada e me saber desejada. Essas coisas não são necessariamente ruins, mas, de vez em quando, o Senhor gentilmente me lembra: "É de mim que provém seu sentimento de valor próprio. Sou eu que satisfaço com perfeição suas necessidades. Venha até mim para ser exaltada e, às vezes, até humilhada. Porque assim você não colocará fardos desnecessários sobre seu marido".

Quando algo parece "errado" entre mim e Francis, aprendi a analisar primeiro como vai minha caminhada com Deus. Há muitas esposas esperando que o marido atenda a necessidades que simplesmente não podem ser satisfeitas, e há maridos que fazem o mesmo com a esposa. Há muitos casamentos sobrecarregados com expectativas irreais, que não vêm de Deus. O Senhor promete atender a todas as suas necessidades (Fp 4.19), garante que nunca vai deixar você (Hb 13.5), assegura que nada pode separá-lo de seu amor (Rm 8.38-39) e que ninguém pode tirá-lo das mãos dele (Jo 10.27-29). Se desejamos um casamento saudável, precisamos crer primeiro nas promessas de Deus e olhar para ele antes de olhar para o cônjuge.

Lembro-me da primeira vez que essa ideia me atingiu como uma parede de tijolos. Francis e eu estávamos fazendo uma viagem de aniversário de casamento e, no jantar, pedi a ele que me dissesse uma coisa que eu poderia fazer para ser uma esposa melhor (algo que perguntamos um ao outro periodicamente). Ele disse que sentia que eu dependia muito dele e tinha expectativas demais. Francis queria que eu dependesse mais de Deus e procurasse primeiro o Senhor.

Isso me pegou de surpresa. Para ser honesta, achei que estávamos indo muito bem e fiquei meio abalada. Sondei meu coração, com vontade de me defender, mas Deus me mostrou de forma muito clara que meu marido estava certo. Espantei-me ao perceber que, no esforço de ser uma esposa submissa que segue a orientação do marido, eu havia me tornado preguiçosa em minha caminhada pessoal com Deus. Deixava de passar tempo essencial aos pés de Jesus e, para tudo, ia diretamente a Francis. Além de deixar meu esposo exausto, eu estava prejudicando meu relacionamento com Deus.

Obtemos muito daquilo de que necessitamos em nossa vida espiritual por meio da "luta" com Deus em oração, "esperando no Senhor" e aprendendo a reconhecer sua voz. Com frequência, digo às esposas que precisamos levar nossas orações, lutas e desejos primeiro ao Senhor. Deus pode muito bem usar nosso marido para suprir grande parte de nossas necessidades, mas o Senhor é a suprema fonte de tudo aquilo de que necessitamos. Não é que devamos esconder nossas necessidades e lutas do esposo, é simplesmente uma questão de onde começar. O marido será um grande fracasso se esperarmos que ele seja Deus. Mas, se esperarmos que Deus seja Deus, então nosso esposo terá a oportunidade de ser excelente em seu papel de marido.

É possível que boa parcela da mágoa que existe em torno de seu casamento seja falta de conexão espiritual entre você e Cristo. Talvez o fato de negligenciar suas necessidades espirituais torne você alguém muito "carente" no relacionamento. É hora de fortalecer sua caminhada com Deus!

Tenho ouvido falar muito atualmente sobre ser uma mulher "forte". O que isso quer dizer? Como é uma mulher forte?

Quando meu esposo e eu visitamos a Etiópia, recentemente, fiquei pasma com a vida das mulheres de lá. Para ser bem franca, foi aterrorizante pensar em como seria trabalhar tão duro quanto elas — trabalho físico pesado — sem ver muito progresso. Como seria viver sem água corrente em casa? Quem caminharia dois ou três quilômetros todos os dias para encher a vasilha de plástico com água suficiente para suprir nossas necessidades básicas? O que eu prepararia na pequena fogueira que crepitava dentro de uma cabana minúscula? O que passaria pela minha mente se eu precisasse usar a mesma blusa e saia (sujas) por dias a fio? Quando meus filhos sentissem frio de noite, como os ajudaria sem poder ligar o aquecedor e simplesmente voltar a dormir?

Mas aquelas mulheres enfrentam essa realidade dia após dia. E eram capazes de sorrir para mim. Elas são fortes. Nunca me esquecerei do contato visual que fiz com algumas dessas mulheres sentadas com seus pequenos, à espera de conseguir entrar no programa de doação de alimentos. Senti como se estivéssemos nos comunicando sem palavras: "Nós duas somos mães, ambas queremos cuidar de nossos filhos". Eu tentava dizer com meus olhos: "Você é amada — por mim, sim, mas ainda mais importante, por Deus".

Certo dia, enquanto voltávamos de carro de uma dessas vilas, vi uma árvore maravilhosa no alto de uma colina. Tinha um tronco grosso e resistente, com galhos belos e cheios que faziam uma linda sombra de verde. Senti o Senhor dizer: "Essa é a aparência de uma mulher forte". A mulher forte espera com paciência suas raízes crescerem e se aprofundarem na Palavra de Deus. Com o tempo, ela se torna inabalável em sua fé. Começa a produzir frutos naturalmente e é cheia de vida. As pessoas se sentem atraídas por sua força e seu crescimento. Muitos encontram descanso e paz ao se apoiarem nela. Quando vêm as tempestades e provas, como sempre vêm, não são capazes de derrubá-la no chão. Alguns galhos podem se perder ou ser arrancados, mas no lugar deles vem novo crescimento, nova vida.

É assim que eu anseio ser! Uma mulher forte ancorada nas promessas de Deus.

Tudo, porém, começa quando fincamos raízes na Palavra de Deus. Não ocorre quando você se defende, exige atenção e luta em prol de si mesma, mas sim quando busca defesa em Cristo, permite que ele cative sua atenção e luta para a glória dele.

O mais belo de tudo é que, enquanto buscamos essas coisas, Deus assume o lugar correto em nossa vida. A Bíblia diz: "A alegria do Senhor os fortalecerá" (Ne 8.10). A alegria também é citada como parte do fruto do Espírito em Gálatas. Você nunca encontrará alegria verdadeira e duradoura em alguém ou em algo. O casamento não é a fonte da alegria, embora muitos de nós presumamos isso. Alegria é algo que levamos para dentro do casamento por sermos cheios da alegria de nossa caminhada com Deus e por termos confiança em suas promessas.

É hora de parar de esperar que seu casamento e seu cônjuge façam as coisas que Deus promete realizar. Força, alegria e satisfação verdadeiras — Deus nos promete tudo isso e só ele pode nos dar.

Conclusão: foco

Pedro afirma que é possível alguém ficar cego ao ver apenas "o que está perto" (2Pe 1.9). É possível nos concentrarmos tanto em coisas temporárias a ponto de ficarmos cegos para o que importa de verdade. É absurdo como um pneu furado pode levar alguém a se esquecer da herança futura, da segurança eterna e da graça que Deus derramará sobre nós ao longo de toda a eternidade. Perdemos rapidamente a alegria da salvação e a glória futura por causa de algo tão efêmero. Ficamos focados no aqui e agora. Não é que não devamos prestar atenção aos problemas óbvios diante de nós, mas necessitamos olhar para eles com a lente da eternidade. E não podemos permitir que nada roube nossa alegria.

A qualquer momento, você será levado para uma nova existência. Não se importará nem um pouco com as coisas pelas quais hoje tem obsessão. Deveríamos ter a atitude do administrador astuto mencionado em Lucas 16. Ele sabia que seu tempo na posição que ocupava era limitado; então, sabiamente se preparou para o futuro. Minha oração é que as promessas de Deus para o futuro moldem nosso casamento no presente.

Faça algo

Pode não parecer prático falar sobre as promessas futuras de Deus e então dizer: "Faça algo agora!". Mas é assim mesmo que deve funcionar. Deus revela algo sobre o futuro a fim de sabermos como nos comportar hoje (2Pe 3.11). Use as sugestões a seguir para guiar seu pensamento, mas não pare por aí. Ao longo da vida de casado, você deve continuar pensando nas promessas divinas para o futuro e ajustar seu relacionamento com o cônjuge de acordo com elas.

Medite sobre o céu

• Passe tempo pensando na realidade do céu. Para conduzir seus pensamentos, incentivo você a ler Apocalipse 21—22. Mas leia devagar. Assimile as imagens. Imagine-se no lugar de João ao receber a visão do fim.

• Agora, imagine como será. Qual será o sentimento? Que problemas essa realidade resolverá? Por que temos um anseio tão profundo por ela? Da forma mais vívida que puder, sinta como será viver em um lugar sem sol nem lua porque será iluminado pela face do próprio Deus. Deixe esse tipo de meditação curar sua alma e alimentar suas esperanças.

• Finalmente, reflita em como essa visão do fim deve moldar seu presente de modo geral e seu casamento em particular. Escreva alguns pensamentos acerca de como seu relacionamento conjugal pode e deve ser moldado pelas promessas divinas sobre o fim do mundo. Compare suas reflexões com as de seu cônjuge e tenham uma discussão honesta sobre como essa visão pode se tornar verdadeiramente central em seu casamento.

Avalie sua esperança

• A esperança é um conceito bíblico, mas até mesmo nós, cristãos, costumamos depositá-la no lugar errado. Avalie onde sua esperança está de fato. Seja absolutamente honesto.

1. De que maneiras você deposita suas esperanças no cônjuge?
2. Quem você procura para encontrar realização e alegria, para suprir suas necessidades etc.?
3. Em que áreas você está indo bem em termos de depositar sua esperança somente em Deus?
4. Em que áreas você está indo mal nesse aspecto?

• Depois de se avaliar honestamente a esse respeito, converse com seu cônjuge acerca das conclusões a que chegou. Veja se ele concorda ou se tem outros pontos para acrescentar ou retirar. Essa é uma atividade que envolve estar vulnerável e sensível; portanto, sejam gentis, amorosos e sinceros. Explicações honestas a respeito das fraquezas do outro são dadas para o bem do crescimento na semelhança com Cristo.

• Discutam formas práticas de concentrar mais a esperança em Cristo e cogitem modos pelos quais vocês podem ajudar um ao outro a fazer isso melhor.

• Comprometam-se a orar um pelo outro a respeito das coisas que conversaram durante essa atividade.

6

O QUE É REALMENTE MELHOR PARA AS CRIANÇAS?

Criando filhos para a glória de Deus

"Sete filhos?"
"Coitado!"
"Há maneiras de evitar isso, sabia?"

Ouço esse tipo de coisa o tempo inteiro, tanto de cristãos quanto de descrentes. A crença popular é que um filho ou dois podem ser bênçãos, mas deve haver algo errado com quem tem mais. Para mim, essa é uma forma muito estranha de pensar, pois sou louco por meus filhos. Talvez soe piegas, mas posso dizer honestamente que uma de minhas maiores lutas é ter certeza de que não os amo além da conta! Se eu não tomar cuidado, eles podem se tornar os principais alvos de meu amor e de minha afeição, em lugar de Cristo. Algumas pessoas lutam para não negligenciar os filhos, considerando-os fardos. Outras, como eu, lutam para não dar ênfase excessiva ao relacionamento com eles.

A verdade é que Deus criou a família, na qual deseja que tenhamos prazer para a glória dele mesmo. Existe uma forma de amar os filhos ao mesmo tempo que os conduzimos a um estilo de vida de adoração e missão. Em última instância, é isso que traz mais realização para nós e para nossos filhos. Agora e por toda a eternidade.

Veja a opinião de Deus acerca desse assunto:

> Os filhos são herança do SENHOR, uma recompensa que ele dá. Como flechas nas mãos do guerreiro são os filhos nascidos na

juventude. Como é feliz o homem que tem a sua aljava cheia deles! Não será humilhado quando enfrentar seus inimigos no tribunal.

Salmos 127.3-5

Assim como o artilheiro que elogia o restante do time por permitir seu sucesso, os filhos foram feitos para ser o motivo do elogio a uma pessoa. Deus diz que o homem não será humilhado *porque* seus muitos filhos o ampararão. Por que agora os filhos são vistos tantas vezes como "obstáculos", impedimentos para as coisas que realmente desejamos fazer?

Desde o início dos tempos, as pessoas costumavam invejar famílias grandes. Olhavam para elas e pensavam: "Que gente de sorte!". Contudo, nos últimos vinte anos, o pensamento se transformou em: "Eu odiaria estar em seu lugar".

Embora exista uma série de motivos para essa nova postura (tais como as despesas, o aumento de responsabilidade ou a perda de liberdade), creio que a má criação dos filhos pode ser a causa principal para essa perspectiva negativa em relação às crianças. Um grupo de crianças desrespeitosas é como uma aljava cheia de flechas tortas que podem acabar voando de volta em sua direção!

Crie bênçãos, não fardos

O que é um ótimo pai ou uma ótima mãe? É alguém que faz tudo pelo filho? Ou alguém que ensina a criança a fazer as coisas? Se a criança não sabe amarrar o sapato, os pais falharam. Certo? Se não sabe cortar o próprio bife, será que podemos dizer que a criança está sendo bem criada? Mas por que parar por aí? Não deveríamos esperar que os filhos e as filhas crescidos lavem a própria roupa, limpem a casa e, com o tempo, tenham um emprego e ganhem dinheiro?

O que motiva os pais a sempre fazerem tudo pelos filhos? É o desejo de ser necessários? É o desejo de ser amados, agradecidos e elogiados? A necessidade de ser "amigos" dos filhos? Ou talvez seja apenas mais fácil fazermos sozinhos. Mas a verdade é que prestamos um desserviço aos nossos filhos quando os servimos o tempo inteiro e permitimos que eles sejam preguiçosos. É assim que as crianças acabam se tornando fardos. É por isso que as pessoas não veem os filhos como bênçãos. É porque eles não são como "flechas na aljava". Não os afiamos e nunca os usamos. São apenas pedaços de pau que carregamos para todo lado. Não têm propósito, nunca fazemos uso deles — apenas continuamos carregando-os.

Mas é incrível ver quanto nossos filhos são capazes de realizar quando precisam, quando têm uma missão, uma responsabilidade.

É parecido com o que fazemos na igreja. Os líderes cuidam das pessoas em vez de ensiná-las a cuidarem. Isso as torna superdependentes. Se forem deixadas sozinhas, fracassam. São fardos para nós porque não esperamos que carreguem o próprio peso e ajudem a carregar o dos outros. Os pastores de grandes igrejas têm grandes fardos. Em vez de serem bênção, as pessoas se transformaram em cargas pesadas. Mas isso é assunto para outro livro.

Meus filhos fazem parte do grupo de meus melhores amigos. Penso que isso é ótimo. Mas precisamos tomar cuidado para não nos esforçarmos tanto para ser amigos a ponto de esquecer que somos pais. Eles não precisam de mais um amigo. Necessitam de uma figura de autoridade, um exemplo, algo que seus colegas não podem oferecer. Deus colocou você na vida de seu filho a fim de representar a amável autoridade divina. Ele lhe deu a responsabilidade de educar seus filhos, ensiná-los a servir e prepará-los para o futuro.

Criando os filhos à luz da glória de Deus

Lisa e eu queremos criar filhos que amem muito mais a Jesus do que a nós. Queremos que confiem mais nele do que em nós, que apreciem mais a presença dele do que a nossa, que encontrem mais segurança nele do que em nós. E temos a convicção de que a melhor maneira de ensinar isso é demonstrando. Precisamos deixar claro para nossos filhos que amamos mais a Deus do que a eles.

As crianças são bem mais perceptivas do que muitos pais pensam. Elas sabem quando nossas palavras são apenas da boca para fora. Podemos dizer o dia inteiro que amamos mais a Jesus do que a eles, mas os filhos veem quem recebe nosso tempo e nossos recursos. Não são cegos às nossas afeições, nem à nossa falta de oração e culto. As crianças percebem quando estamos fingindo.

Talvez você passe anos achando que está enganando seus filhos. Mas é só questão de tempo até eles terem idade suficiente para refletir. Afinal, você não sabe a realidade acerca de seus pais? Quando você se tornou adulto, não conseguiu olhar para trás, relembrar o relacionamento entre seus pais e conhecer a verdade? Você sabe se o amor que sentiam um pelo outro era de fato profundo ou apenas uma encenação. Você sabe se a fé que professavam era um dever religioso ou uma fonte de vida. Sabe se eles amavam mais a você do que a Jesus.

Converso com muitos jovens adultos. Algo novo está acontecendo nas igrejas cristãs: jovens que veem o valor de Jesus lutam contra o ressentimento em relação a pais que tiveram uma vida morna. Pais que idolatraram os filhos e esperavam ser exaltados em troca estão recebendo o contrário. Esses jovens estão se apaixonando por Jesus a despeito do exemplo dos pais, e alguns até tentam repreendê-los com respeito. O mais bonito é observar que alguns pais se arrependem de verdade após verem o exemplo dos filhos!

Embora existam histórias inspiradoras de sucesso, definitivamente essa não é a norma. As estatísticas revelam que a grande maioria de filhos que cresceram nesses lares confortáveis, que tinham o hábito de ir à igreja, mas nos quais a família é idolatrada, sai da igreja quando completa 18 anos e nunca mais volta. Em muitos dos casos, os filhos amam os pais, mas não a Jesus.

Há uma pergunta que todo pai ou mãe deveria fazer: "O que partiria mais meu coração: se meus filhos não me amassem ou se não amassem a Jesus?". Medite seriamente nessa questão. O bom é que, se seus filhos verdadeiramente amarem a Jesus, eles amarão você de verdade também. É garantido. Ainda estou para conhecer alguém que ame a Jesus e não sinta gratidão profunda por terem pais que de fato viveram o cristianismo. Além disso, quem ama a Jesus obedece a seus mandamentos (Jo 14.15), e Jesus ordena que amemos profundamente as pessoas ao nosso redor (cf. Mc 12.28-31; 1Jo 4.19-21).

Além de sermos um exemplo de espiritualidade, Deus nos pede que ensinemos nossos filhos sobre ele. Infelizmente, a maioria dos pais negligencia essa responsabilidade e presume que os professores da escola dominical e os líderes dos grupos de jovens já cuidam disso. Embora seja maravilhoso ter apoio extra, isso não muda o fato de Deus ordenar aos pais que ensinem seus filhos a amarem ao Senhor e seus mandamentos (Dt 6.4-8).

Há algumas coisas práticas que Lisa e eu fazemos para ensinar nossos filhos acerca da glória de Deus. Sempre usamos textos bíblicos para lembrá-los de que Deus é santo. Não podemos simplesmente falar para nossos filhos que creiam no Senhor; devemos explicar como isso funciona. Tente isto com seus filhos: descreva a glória de Deus. Pegue uma passagem como a seguinte e a esclareça trecho por trecho:

> [Nosso Senhor Jesus Cristo] é o bendito e único Soberano, o Rei dos reis e Senhor dos senhores, o único que é imortal e habita em luz inacessível, a quem ninguém viu nem pode ver. A ele sejam honra e poder para sempre. Amém.
>
> 1Timóteo 6.15-16

Explique para eles que Deus é o único Soberano — que ele é o único que tem controle. Seus filhos necessitam saber, desde pequenos, que nem a mamãe, nem o papai, nem eles mesmos podem controlar a vida. Todas as coisas estão nas mãos de Deus.

Tenha certeza de que eles entendem o que significa ser *o Rei dos reis*. Toda autoridade pertence a Deus. Por isso, precisam respeitá-lo mais do que respeitam a mãe e o pai. Mostre-lhes que mamãe e papai são submissos a Jesus acima de todas as outras pessoas; que, quando Jesus os chama para fazer algo, vocês fazem de imediato e sem questionar. Explique isso para seus filhos. E mostre como funciona.

Deixe-os saber que cada fôlego é um dom de Deus porque ele é *o único que é imortal*. Cada planta, animal e pessoa tomam a vida emprestada dele. Por isso, vivemos cada dia aproveitando ao máximo a vida que ele nos deu.

Quanto mais cedo compreenderem a glória de Deus, melhor. Eles precisam saber que o Senhor *habita em luz inacessível*. Deus não é como nós. Não podemos nem olhar para ele. Precisam saber que existe um abismo imenso entre Deus e eles.

Por causa da soberania, da autoridade, do poder e da santidade de Deus, vivemos para a glória dele, não para a nossa. Centramos nossa vida em torno de sua *honra e poder para sempre*. Nossos filhos devem aprender e observar que o mundo não gira em torno deles — gira em torno de Jesus. Nós vivemos para o Senhor.

Quase todas as crianças passam pela fase "egocêntrica", durante a qual acreditam que o mundo gira em torno delas. Quando choram, veem os adultos correndo para pegar uma mamadeira, trazer-lhes um cobertor ou aninhá-las nos braços. Elas são o centro das atenções sempre que chegam a algum lugar.

Isso é bem natural em se tratando de bebês. E as crianças pequenas precisam mesmo de atenção extra. O problema é quando essa prática se estende até os 4, 5, 10, 16 ou 30 anos. Infelizmente, muitas pessoas chegam ao fim da vida ainda acreditando que o mundo gira (ou deveria girar) em torno delas. A boa criação de filhos pode colocar freio nessa mentalidade ainda cedo.

Certifique-se de que a oração não se torne descuidada, mesmo antes das refeições. Quando é hora de orar, Lisa e eu somos rígidos. Os eletrônicos devem ser desligados, e não deixamos as crianças correrem para lá e para cá. Usamos esses momentos para lembrar a família de que adoramos a um Deus santo que merece nosso respeito. Ele é o centro das atenções e nos prostramos diante de sua majestade. Não estamos apenas cumprindo um ritual ou dando continuidade a uma tradição. Em vez disso, estamos agradecendo a um Deus que habita em luz inacessível. A oração é sagrada em nossa casa porque Deus é santo. Ninguém tem permissão para desrespeitar a Deus em nosso lar. Nossos filhos sabem que não devem incomodar a mãe ou o pai quando estiverem conversando com Deus porque ele é mais importante do que os filhos.

Embora tentemos falar sobre Deus durante todo o dia, descobrimos que a hora de dormir é a melhor hora para conversar. Nossos filhos sempre preferem conversar a ir dormir, então aproveitamos isso. Ouvimos as histórias que contam sobre seu dia e usamos cada oportunidade para lembrá-los de que Deus deve ser o centro de tudo o que fazem. Compartilhamos momentos em que não "sentimos vontade" de obedecer ao Senhor, mas obedecemos assim mesmo. Sempre queremos ajudá-los a ver que também lutamos contra o egoísmo e que todos nós batalhamos para viver para a glória de Deus, não para a nossa.

Criamos oportunidades para ensinar aos nossos filhos a importância de respeitar os professores e todas as figuras de autoridade porque foi Deus quem as colocou ali (Rm 13). Isso é crucial, pois a falta de respeito pelas autoridades é uma forma de arrogância que rapidamente conduz à falta de respeito para com Deus.

> Filhos, obedeçam a seus pais no Senhor, pois isso é justo. "Honra teu pai e tua mãe" — este é o primeiro mandamento com promessa — "para que tudo te corra bem e tenhas longa vida sobre a terra". Pais, não irritem seus filhos; antes criem-nos segundo a instrução e o conselho do Senhor.
>
> Efésios 6.1-4

Segundo essa passagem, há razões teológicas profundas para ensinar seus filhos a respeitarem as autoridades. Os filhos que desrespeitam os pais estão desrespeitando a Deus. Estão negligenciando as ordens divinas e entrando em um padrão de rebelião.

Nunca permiti que meus filhos faltassem com o respeito a Lisa ou a mim. Exercemos autoridade para que eles criem uma imagem mental do que é esse conceito. Não se trata de uma guerra de poder. Minha função de pai é pintar um retrato de Deus por meio do meu modo de agir. Uma vez que não adoramos a um Deus fraco que permite o desrespeito, recuso-me a ser um pai fraco que permite que os filhos deem respostas malcriadas. As crianças que crescem mandando na casa logo questionarão o direito de Deus de dar ordens contrárias àquilo que elas pensam ou sentem. Não há garantias de que todo indivíduo criado em um lar no qual a liderança amorosa é exemplificada respeitará Deus, mas pelo menos ele saberá como fazer isso.

Criando os filhos à luz do evangelho

A verdade do evangelho tem vastas consequências na criação de filhos. Nós, cristãos, sabemos que nossa justiça provém de Deus e que nossa capacidade de viver de maneira piedosa se origina do Espírito Santo. Às vezes, como pais, esquecemos que isso se aplica também às crianças. Deus é nossa única esperança. Deus é a única esperança de nossos filhos. Se o Espírito não estiver neles, então todos os nossos esforços para educá-los se reduzirão a nada além de modificação do comportamento. Sem o Espírito, é certo que nossos filhos se rebelarão. Mas o Espírito de Deus muda tudo. Se ele estiver atuando dentro de nossos filhos, podemos confiar que ele operará quando e como achar apropriado.

Anos atrás, nossa filha mais velha passou por uma luta intensa. Estava claro para mim que sua fé consistia em pouco mais do que a recitação de frases cristãs que havia ouvido ao longo da vida. Eu não percebia nenhum fruto do Espírito em sua vida dominada pelo pecado. Não é que ela deixasse de fazer coisas boas, mas há uma enorme diferença entre realizar algumas coisas boas e manifestar a obra sobrenatural do Espírito. Para ser franco, foi um período triste, com muitas lágrimas. Em determinado ponto, Lisa me perguntou: "Você acha que falhamos como pais?". Respondi que achava que não. Havíamos mostrado a ela o exemplo de duas pessoas que amavam a Jesus, a família e os outros. Ela vira o Espírito Santo operando em nós e por meio de nós. Sei que nunca fomos perfeitos no casamento, nem na criação dos filhos, mas acreditava que havíamos demonstrado para ela como é ter um relacionamento conjugal e uma família centrados em Deus.

A salvação dos meus filhos é meu pedido de oração mais fervoroso. Durante essa época, percebemos que não havia nada que pudéssemos fazer por nossa filha. Então, nós oramos. Muito. Somente Deus seria capaz de abrir os olhos dela, dar-lhe fé e levá-la a amá-lo. Sabíamos que podíamos impor a ela mais restrições, mas isso somente acarretaria uma mudança temporária de comportamento. Não transformaria seu coração. Deus deixou claro que o Espírito Santo era nossa única esperança. Sem ele, o melhor que poderíamos fazer seria encontrar maneiras de impedi-la de seguir em busca daquilo que seu coração desejava. No entanto, de acordo com tudo que eu lia nas Escrituras, se o Espírito Santo entrasse nela, nossa filha se tornaria uma nova pessoa. Haveria uma mudança de natureza e seu mestre não seria mais o pecado, mas a justiça.

Foi isso que aconteceu. Nunca esquecerei o dia em que ela me contou que o Espírito Santo havia entrado em sua vida. Ficamos empolgados, mas um pouco céticos. Percebemos mudanças imediatas em sua conduta, mas nos perguntávamos se aquilo duraria. Após algumas semanas, que se tornaram meses, ficou claro que tudo havia mudado mesmo. Anos mais tarde, continuo a agradecer a Deus por sua graça na vida de nossa filha. É uma nova criatura. Não é perfeita, mas está nesse caminho. Agora, em vez de querer trancá-la no quarto para impedi-la de pecar, sentimo-nos confiantes ao liberá-la para que seja uma luz no mundo. É isso que o Espírito Santo faz.

Ver o Espírito Santo em ação na vida de nossos filhos fez que Lisa e eu os deixássemos voar. Ao ver o Espírito trabalhando, aos poucos abrimos mão de nossa liderança e os ensinamos a seguir a liderança do Espírito Santo. Como João Batista disse acerca de Jesus, "é necessário que ele cresça e que eu diminua" (Jo 3.30). Essa deveria ser nossa atitude ao criar os filhos. O objetivo é fazer a criança sair da total dependência dos pais para a total dependência de Deus. Nossa tarefa é ensinar os filhos a seguirem seu verdadeiro Pai, seu verdadeiro Mestre. Então, os deixamos livres porque voltaram a seu real Dono. Confiar nossos filhos ao cuidado divino demonstra nossa confiança em Deus; o apego contínuo ao controle sobre eles revela o contrário.

Isso não quer dizer que paramos de desempenhar um papel significativo na vida deles. Só significa que compreendemos que nosso papel é conduzi-los constantemente de volta a Deus e à verdade do evangelho. Precisamos lembrar nossos filhos a todo instante do poder que eles têm em Cristo, assim como Paulo fazia com Timóteo (2Tm 1.6-7). Como cristãos, sempre devemos considerar "uns aos outros para nos incentivarmos ao amor e às boas obras" (Hb 10.24). Essa é uma responsabilidade constante para todos os cristãos, incluindo nossos filhos. Dito de forma clara, devemos sempre procurar ser uma bênção, não uma necessidade. Deus é a única coisa de que nossos filhos verdadeiramente *necessitam*, mas pedimos ao Pai que faça de nós uma bênção para eles.

Enquanto escrevo estas coisas, reconheço que muitas pessoas têm filhos que não estão seguindo Jesus. Talvez seja o seu caso. Você não vê o fruto do Espírito em seus filhos e isso parte seu coração. Você não sabe por onde começar a descobrir por que eles rejeitaram o evangelho. Ou talvez nunca tenham negado Jesus em palavras, mas o fazem em ações. Primeiro, deixe-me dizer que eu sinto muito. Lisa e eu não conseguimos imaginar uma dor mais profunda do que essa. Para ser bem honesto, ainda preciso encontrar palavras que sirvam de consolo para pais cristãos com filhos descrentes. Como Paulo descreveu, muitos de nós vivemos com "grande tristeza e constante angústia" (Rm 9.2) porque pessoas a quem ternamente amamos rejeitam a Cristo. Pode parecer estranho, mas há conforto em reconhecer que o mesmo Paulo que se alegrava em todas as circunstâncias e nos instruiu a nos regozijarmos sempre no Senhor (Fp 4.4) sentia esse tipo de angústia profunda.

O único incentivo que me vem à mente é lembrar você do poder da oração. Já ouvi muitas histórias de orações milagrosamente respondidas e também passei por isso diversas vezes. Continue a jejuar e a orar por seus filhos. Continue a inundar a si mesmo e a seus filhos com as Escrituras, ciente de que há poder na Palavra de Deus. Continue a viver de tal modo que seus filhos não possam negar a presença de Deus em sua vida, mesmo que não o queiram para eles.

A despeito do modo como nossos filhos reagem, nós, pais cristãos, temos responsabilidades à luz do evangelho. Tal qual Deus governa a terra, devemos governar nosso lar. Assim como Deus tem liberdade para punir e recompensar, devemos punir e recompensar nossos filhos em oração, de uma maneira que glorifique a Deus. Assim como Deus perdoa, devemos demonstrar o perdão divino quando eles pecam. Assim como Deus demonstra amor incondicional, devemos nos sacrificar por eles apesar de suas ações. Eles precisam ver o evangelho vivo ao observarem nossa maneira de criá-los. Lutamos para demonstrar um belo retrato de Cristo, na esperança de que eles o achem atraente e entreguem a própria vida para conhecê-lo.

Criando os filhos à luz do exemplo de Cristo

Anos atrás, uma de minhas filhas voltou da escola e me mostrou uma prova em que havia tirado nota vermelha. Vi a decepção em seus olhos, mas também o medo de como eu reagiria. Tanto ela como eu sabíamos que a nota ruim era resultado de preguiça, não de dificuldade de aprendizado. Portanto, ambos sabíamos que era necessário haver consequências. Mas naquela noite decidi aproveitar a oportunidade para ensiná-la sobre a graça. Em vez de discipliná-la, a levei para jantar fora, assistir a um filme no cinema e tomar sorvete. Expliquei que estava fazendo isso para ilustrar o que Deus fez por nós por meio de Cristo. A despeito de nosso pecado, ele retém sua ira e nos inunda de bênçãos.

Tivemos uma ótima noite, mas a melhor parte aconteceu no dia seguinte. Quando as amigas se despediram dela no dia anterior, sabiam que ela viria me falar sobre a nota vermelha. Então, quando perguntaram o que aconteceu, ela pôde lhes explicar sobre o evangelho. Ela disse que a reação das meninas foi: "Eu queria ter um pai como o seu". Até isso foi um momento de ensino, pois conversamos sobre como deveríamos nos alegrar pela graça de Deus a ponto de os outros reagirem, dizendo: "Eu queria ter o seu Deus". Em seguida eu a lembrei de que era melhor começar a estudar de novo! (Não dou sorvete a meus filhos toda vez que eles vão mal; foi uma única lição sobre a graça. Por mais legal que tenha sido abençoá-la quando ela merecia enfrentar as consequências de seus atos, precisamos nos lembrar de que "o Senhor disciplina a quem ama" [Hb 12.6].)

Há um velho ditado que diz: "Uma ação vale mais que mil palavras". Embora isso não esteja na Bíblia, sabemos que há grande verdade nessa declaração. As crianças aprendem muito mais com o que observam em você, não com o que você ensina. Todos nós conseguimos nos lembrar de hábitos, expressões e atitudes que aprendemos com nossos pais — para o bem ou para o mal. Eles não nos sentaram e deram um sermão sobre essas coisas, mas acabamos copiando (ainda que, muitas vezes, nos esforçássemos para ser diferentes!).

Nossos filhos veem que raramente moramos sozinhos. Constantemente partilhamos nosso lar com outros que necessitam de um lugar para viver. Algumas dessas pessoas se tornaram grandes amigas. Há momentos em que a situação se transformou em uma grande inconveniência, mas tentamos ser hospitaleiros e amar como Cristo amou. Houve até mesmo ocasiões em que nossos filhos ficaram em lágrimas por causa de alguns dos convidados. Olhamos para trás e rimos agora, mas, às vezes, foi difícil para eles. Seja como for, ver que seguir o exemplo de Jesus nem sempre é fácil também é boa lembrança para eles. Dada a frequência com que vivenciaram esse tipo de experiência enquanto cresciam, ficarei bastante surpreso se meus filhos não abrirem o lar para os necessitados quando estiverem vivendo em sua própria casa.

Ao longo da vida, continuaremos a servir nossos filhos para que eles possam ver o exemplo de Cristo. Mas também devemos ensiná-los a servir aos outros — eles também precisam pôr em prática o exemplo de Cristo. Nossa tarefa não é apenas servi-los, mas ensiná-los a servir. Muitos acham que os pais devem trabalhar duro a fim de economizar para ter uma aposentadoria confortável e deixar uma grande herança para os filhos. Mas e se isso impedir que eles cresçam como servos? Ninguém quer se tornar um fardo para os outros, mas as Escrituras ensinam que Deus gosta de ver os filhos cuidarem dos pais:

> Mas se uma viúva tem filhos ou netos, que estes aprendam primeiramente a colocar a sua religião em prática, cuidando de sua própria família e retribuindo o bem recebido de seus pais e avós, pois isso agrada a Deus. [...] Se alguém não cuida de seus parentes, e especialmente dos de sua própria família, negou a fé e é pior que um descrente.
>
> 1Timóteo 5.4,8

Os filhos cristãos deveriam se sentir honrados por poder abençoar os pais que os serviram durante a infância. Em vez de ver os pais como um fardo, o plano de Deus era que os filhos os servissem com alegria. Espero que meus filhos ajudem a cuidar de mim um dia, se eu chegar a viver tanto. Tenho a esperança de criar filhos gratos que considerem uma honra tomar conta da mãe ou do pai.

Criando os filhos à luz da missão divina

Eu trabalho muito. E com certeza viajo mais do que a maioria das pessoas. Dificilmente uma semana se passa sem que eu entre em um avião desejando apenas ficar em casa com minha família. Alguns diriam que isso é criar mal os filhos. Sou contra esse argumento. Eu não negligencio meus filhos nem por um segundo, mas há muitas vezes em que sei que Deus me chamou para servi-lo de maneiras que interferem na rotina familiar. Creio genuinamente que é bom para meus filhos observarem isso.

Seguir Jesus significa colocar de lado nossos desejos pessoais e confiar que o resultado final será melhor. É isso que Cristo queria dizer ao declarar: "Negue-se a si mesmo, tome diariamente a sua cruz e siga-me" (Lc 9.23). Criar bem os filhos significa mostrar a eles que a missão é maior do que qualquer um de nós. Parte do chamado é desenvolver uma família amorosa que exemplifique como os relacionamentos deveriam ser, mas a outra parte envolve colocar a família de lado quando um compromisso maior nos chama (Mt 10.37).

As crianças precisam ver que eu vou perder alguns jantares em família, recitais de piano e jogos esportivos quando a missão exigir. Essa não é uma ideia muito popular na igreja atual, na qual separamos o amor a Deus do serviço a ele. Dizemos que amamos a Deus em primeiro lugar, mas trata-se de uma declaração vaga que desperta pouca ação. Jesus falou sobre mais do que sentimentos e emoções. Ele mencionou sacrifícios literais que poderiam interferir em nossa vida e talvez até colocar fim nela.

Quando andavam pelo caminho, um homem lhe disse: "Eu te seguirei por onde quer que fores". Jesus respondeu: "As raposas têm suas tocas e as aves do céu têm seus ninhos, mas o Filho do homem não tem onde repousar a cabeça". A outro disse: "Siga-me". Mas o homem respondeu: "Senhor, deixa-me ir primeiro sepultar meu pai". Jesus lhe disse: "Deixe que os mortos sepultem os seus próprios mortos; você, porém, vá e proclame o Reino de Deus". Ainda outro disse: "Vou seguir-te, Senhor, mas deixa-me primeiro voltar e despedir-me da minha família". Jesus respondeu: "Ninguém que põe a mão no arado e olha para trás é apto para o Reino de Deus".

Lucas 9.57-62

Se estou em um país em desenvolvimento ajudando a encontrar soluções para a pobreza e a fome e meus filhos choram de saudade em casa, minha esposa logo os lembra de como são abençoados por terem um pai que cuida dos outros. Se estou fora dando palestras e as crianças ficam inquietas sem mim, ela as lembra do significado eterno de tudo isso. Assim que chego em casa, digo quanto senti a falta deles e como gostaria de ficar apenas com eles o tempo inteiro. E então eu os lembro mais uma vez da missão. Agora que meus filhos estão maiores, costumo levar um deles comigo ao ministrar em diferentes lugares, para que possamos dedicar tempo em missão juntos.

É bom para meus filhos abrirem mão do pai temporariamente para que possa cuidar de crianças que não têm pai. Isso os ensina a sacrificarem-se pelos necessitados. É importante que eles entendam que a missão envolve salvar as pessoas do tormento eterno e que todos devemos estar dispostos a fazer sacrifícios em nome de um propósito maior.

Aliás, se eles não virem os sacrifícios, mais tarde se questionarão se nós de fato acreditávamos naquilo que alegávamos crer.

Um dia, terão idade para raciocinar logicamente e se perguntar por que gastávamos tanto tempo brincando em família quando sabíamos que no mundo havia tantas pessoas sofrendo, morrendo e indo para o inferno. Talvez seja por isso que 75% de jovens criados na igreja saem dela quando completam 18 anos. Eles veem o abismo entre as supostas crenças e nossas ações e decidem não participar da hipocrisia.

Enquanto meus amigos Brad e Beth Buser foram missionários em Papua-Nova Guiné, eles moraram na selva com uma tribo chamada Iteri. Esse casal passou vinte anos tentando compreender o idioma dos iteris, partilhando o evangelho com eles, escrevendo a língua iteri pela primeira vez, ensinando essa gente a ler no próprio idioma, para o qual fizeram uma tradução do Novo Testamento. Por meio de seu ministério, pessoas foram salvas e plantou-se uma igreja que continua em atividade mesmo na ausência deles.

Brad e Beth criaram quatro filhos nas florestas de Papua-Nova Guiné. Eles testemunharam as dificuldades que seus pais enfrentaram. Foram ameaças de violência (nativos com lanças apontadas para seu rosto), doenças graves (certa vez, Brad foi levado de avião em coma) ou apenas as demandas cotidianas de um ministério em meio a pessoas descrentes — os filhos presenciaram tudo.

Brad me conta que uma das bênçãos de sua vida foi se sentar com os filhos por ocasião do décimo oitavo aniversário de cada um e poder dizer: "Você viu que não houve nada que sua mãe e seu pai se indispuseram a sacrificar pelo evangelho, nem mesmo a nossa vida. Agora vá e faça o mesmo". Quantos de nós vivemos de modo tal que nos permita dizer o mesmo para os filhos?

É difícil saber qual é a maior bênção: o fato de o povo iteri adorar a Jesus pela primeira vez na história ou a realidade do amor dos quatro filhos de Brad e Beth por Jesus (os dois mais velhos voltaram à selva de Papua-Nova Guiné para alcançar outras tribos perdidas).

Certifique-se de que a missão divina é a prioridade de sua vida. Deixe que seus filhos vejam isso. Dê a eles oportunidades de se unirem a você no serviço a Deus. Enquanto experimentam a alegria de servir, a esperança é que eles continuem trabalhando fielmente para o Senhor muito depois que você for embora.

Criando filhos à luz das promessas de Deus

Não deixe passar um dia sequer sem falar sobre o céu. A maior lição que você pode ensinar a seus filhos é como tomar decisões sob o ponto de vista da eternidade. Isso não quer dizer que ignoramos as questões físicas e temporárias à nossa frente, mas que lidamos com elas sob uma perspectiva eterna. Ensine a seus filhos que a vida é curta e incerta, mas nosso futuro não. Cada funeral a que comparecerem, cada membro da família que falecer, cada animal de estimação que morrer somente reforçará essa verdade. Muitos pais tentam resguardar os filhos da realidade. É só questão de tempo até que eles a descubram por conta própria. Ajude-os a processar a realidade desde novos e ensine aquilo que importa.

Deixamos nossos filhos a par de muitas das decisões que tomamos e explicamos por que as escolhemos. Contamos quando nossas finanças estão sendo redirecionadas a fim de investirmos no céu (Mt 6.19-20). Por sermos abertos em relação a essas coisas, nossos filhos têm a bênção de ver Deus nos socorrer de muitas formas diferentes. Eles testemunham como o Senhor tem sido fiel a suas promessas nas coisas pequenas, dando-lhes certeza acerca da garantia de riquezas eternas.

Nossos filhos têm tanta certeza do céu e são tão empolgados com isso que às vezes falam coisas que os outros podem achar mórbidas. Lembro-me de uma vez em que estávamos com a família inteira dentro de um avião quando uma das crianças disse: "Pai, não seria legal se esse avião caísse? Aí todos nós poderíamos ir para o céu juntos!". Eu concordei, mas estou certo de que as pessoas ao redor acharam bem estranho.

Criamos filhos que não têm medo excessivo da morte. Também creio que estejam preparados para a ocasião em que a mãe ou o pai forem ao encontro de Jesus. Embora eles provavelmente passem pelo mesmo luto que quaisquer outros filhos, Lisa e eu temos confiança de que continuarão a confiar em Cristo em vez de se rebelarem contra ele. Certificamo-nos de que eles aprendessem desde o início que a vida é curta e imprevisível. Sempre insistimos que é por isso que vivemos para a eternidade e que nos alegramos na promessa de Deus para nosso futuro.

Amor, medo e entrega — *Lisa*

Pode ser difícil lutar contra o desejo de tornar-se amigo do filho em vez de ser uma figura de autoridade que devem respeitar.

Certa vez, conheci uma jovem mulher casada que ainda não tinha filhos. Por alguma razão, entramos no assunto do namoro com não cristãos e contei a ela o que sempre dissemos a nossos filhos. Se eles têm o compromisso de seguir Jesus, não os apoiaremos em um relacionamento com uma pessoa que não seja seguidora de Cristo. Ela ficou chocada de nos atermos a esse padrão, qualquer que fosse a idade de nossos filhos. Preocupou-se de que essa regra poderia incentivá-los a se rebelar.

Preciso ser honesta: fiquei bem desanimada com essa linha de raciocínio. Será que os pais deveriam tornar o compromisso de seguir Jesus mais palatável para os filhos, a fim de que não achem os mandamentos dele tão difíceis? Meu argumento é que, na realidade, isso transmite uma mensagem terrível às crianças: você escolhe quais mandamentos seguir e com qual idade deve obedecer-lhes.

A verdade é que não temos garantia nenhuma de que nossos filhos não se rebelarão. E, uma vez que são pecadores, é provável que eles apresentem *sim* algumas formas de rebelião enquanto aprendem a viver para Deus. Mas certamente eu não quero ser aquela que facilita os padrões ou põe açúcar nas regras para tentar apaziguar meus filhos. Isso mostraria com clareza que temo mais a eles do que a Deus. É tentador criar os filhos assim, com base no medo.

Alguns dias depois do almoço com aquela moça, deparei com a seguinte passagem: "Guardem no coração todas as palavras que hoje lhes declarei solenemente, para que ordenem aos seus filhos que obedeçam fielmente a todas as palavras desta lei. Elas não são palavras inúteis. São a sua vida" (Dt 32.46-47).

Você está disposto a ir contra seus filhos quando a Palavra de Deus estiver em jogo? Isso não quer dizer que você não falará "a verdade em amor" ou deixará de demonstrar preocupação genuína pelos sentimentos deles. Pergunte-se: "Qual é o gesto mais amoroso que posso fazer por eles: deixá-los brincar com as leis de Deus ou transformar as leis divinas no padrão que regem nossa conduta?". Afinal, os mandamentos de Deus são *a nossa vida*.

Você se lembra do sacerdote Eli, citado no livro de 1Samuel? Sua história me intriga muito. Ele era um sacerdote fiel, mas seus dois filhos mais velhos eram "desprezíveis" e não conheciam Deus. Eli ficara sabendo das coisas más que seus filhos faziam: pegar carne das ofertas que não lhes pertenciam, tomar coisas à força e dormir com mulheres no templo. A Bíblia conta que Eli os repreendia. Ao que parece, isso significa dizer: "Vocês não deveriam fazer esse tipo de coisa!". Mas fica claro que Deus esperava que Eli tirasse seus filhos do serviço e os punisse pelo que haviam feito. Sua indisposição em honrar a Deus levou a um julgamento severo. Por meio de Samuel, Deus revelou a Eli o castigo:

> Nessa ocasião executarei contra Eli tudo o que falei contra sua família, do começo ao fim. Pois eu lhe disse que julgaria sua família para sempre, por causa do pecado dos seus filhos, do qual ele tinha consciência; seus filhos se fizeram desprezíveis, e ele não os puniu.
> 1Samuel 3.12-13

Deus também dissera que Eli honrava mais os filhos do que a ele (1Sm 2.29).

Essa é uma passagem dura. Mas é importante para nos lembrar de que é esperado que nossos filhos obedeçam. Mesmo quando novos, precisamos adverti-los de que aquilo que Deus diz é sério. Existem vários textos bíblicos que mostram como Deus se agrada da obediência dos jovens (p. ex., Gn 18.19; 1Sm 2.18-19,26; Sl 71.17; Lc 18.15-16; 1Tm 4.12).

Os adolescentes não estão isentos da lei divina. À medida que ficam mais velhos, lutam para decidir por si mesmos se desejam seguir Deus. Mas não podemos nos esquivar dos padrões divinos por medo de uma possível rebelião.

Corta meu coração imaginar meus filhos andando longe dos caminhos de Deus. Seria quase insuportável. Mas a verdade é que nós não somos o Espírito Santo. Somente ele é capaz de entrar na vida de nossos filhos, fazê-los novos e diferentes e dar-lhes o desejo de seguir ao Senhor. De fato, em algum lugar no meu coração, existe a esperança oculta de que se eu fizer tudo "certo", compartilhar os textos bíblicos certos e orar de joelhos, meus filhos serão pessoas incríveis que amam a Deus. Deve haver uma fórmula em algum lugar.

Mas não há. E isso me põe onde devo estar. Como pais, devemos procurar ser semelhantes a Cristo. Com certeza, devemos apresentar versículos bíblicos para os filhos. E, sem dúvida, nossa maior arma é a oração. Mas não fazemos essas coisas a fim de salvá-los. Só Deus é capaz de realizar essa obra.

Fazemos essas coisas para que nossa consciência esteja em paz na presença de Deus. E as fazemos porque realmente amamos nossos filhos e queremos que eles tenham o retrato mais fiel possível de um Jesus amoroso. Quando seus filhos passarem por lutas ou começarem a se desviar, não desista. Continue a viver a fé. Não permita que o inimigo o encha de desespero com suas mentiras e desesperança.

Você não é perfeito e nunca será. Todos falhamos no papel de pais. A real pergunta que devemos fazer é: "Minha vida se caracteriza pela busca a Cristo?". Se a resposta for afirmativa, então você pode aceitar com humildade seus erros sem se atordoar. Se não, você pode se arrepender e crer que Deus é capaz de transformar não só sua vida, mas a de seus filhos também. Talvez sua seriedade na caminhada com Deus seja justamente o meio pelo qual o Senhor voltará o coração de seus filhos para ele. Não seria extraordinário?

Há pouco tempo, um jovem casal nos perguntou como ter um relacionamento mais próximo com os filhos. A esposa nos explicou: "Eu não contava *nada* para meus pais". O simples fato de desejar um tipo diferente de relacionamento com os filhos já era um passo na direção correta.

A resposta a essa pergunta me levou a uma conclusão: uma das melhores maneiras de se aproximar dos filhos é ser próximo do cônjuge. Boa parte da segurança dos filhos vem da confiança de que o pai e a mãe formam uma união sólida. Pense sobre isso. Se você ensina a seus filhos o que significa seguir a Cristo e você e seu cônjuge vivem essa realidade dentro do lar, tudo fará sentido para eles. Eles serão atraídos a vocês e ao fruto do Espírito que provém da vida do casal.

Sua integridade no casamento terá um impacto enorme sobre seus filhos. Isso não significa que eles não verão vocês resolvendo problemas ou tendo um dia ruim aqui e outro ali. Mas seus filhos precisam saber que vocês são sinceros. Não basta acordar cedo no domingo, enfiar as crianças dentro do carro, brigar o caminho todo até a igreja e depois levar a vida como de costume no restante da semana. Por mais importante que seja o compromisso com a igreja, seus filhos necessitam ver a verdade divina moldando a vida de vocês de segunda a segunda. Se eles os virem vivendo o evangelho no relacionamento mais íntimo que têm, criarão um retrato autêntico do que significa viver de acordo com a *Palavra*, e não com o *mundo*.

O modo como você trata seu cônjuge na frente dos filhos é muito significativo. E é extremamente importante a forma como você fala sobre seu cônjuge quando ele não está presente.

Seus filhos não são burros. Eles percebem desrespeito, irritação e falta de amor. Mas também percebem graça, paciência e uma atitude amável. Que mensagem você está transmitindo a seus filhos? Eles veem você levar a Palavra de Deus a sério?

Não podemos ser cristãos que simplesmente não amam o cônjuge. Não é assim que funciona. Depois de Cristo, o relacionamento que você tem com seu marido ou esposa é *o mais influente* de todos. Muitos filhos se desencaminham da fé quando observam os pais cristãos falhando em amar um ao outro. Estou falando de pais cristãos, pais em quem o Espírito Santo deveria habitar.

Sim, há muitas outras coisas que tentarão seus filhos e outros motivos para eles escolherem não seguir a Cristo. Você deseja mesmo acrescentar mais uma possível pedra de tropeço para a fé dos seus filhos apenas porque não "sente vontade" de amar seu marido ou sua esposa? Paulo orienta: "*Façam todo o possível* para viver em paz com todos" (Rm 12.18). Faça o que for preciso, pelo poder do Espírito, para viver o evangelho em seu relacionamento conjugal. Há muito em jogo.

Amor

Todos dizem: "Não faça tempestade em copo d'água". Isso é verdadeiro sobretudo na criação dos filhos. Dia desses, eu estava orando por meu filho, preocupado com algumas pequenas coisas, quando de repente me vi no ponto crucial. Meu maior desejo para ele é que seja um homem íntegro, que seu caráter brilhe mais do que qualquer outra coisa em sua vida. Por isso, parei de orar pelas questões sem importância e comecei a suplicar a Deus que transforme meu filho em um homem íntegro. Manter as orações focadas no quadro mais amplo me ajuda a não perder o rumo. Também me impede de desanimar quando as coisas ficam difíceis.

Nossos filhos sempre nos ouvem orar pedindo a Deus que todos o amemos cada vez mais. Esse é o cerne de cada oração que fazemos por eles. Amar mais a Deus é cumprir o maior dos mandamentos (Mc 12.28-30). É a única coisa que os alinhará ao Espírito Santo e os fará obedecer à Palavra. Não queremos filhos "religiosos" que tão somente não xingam, nem assistem a filmes proibidos para menores. Queremos filhos que amem a Deus de todo o coração e cuja vida inteira seja agradável a ele.

Medo

A criação de filhos desperta muitos temores. Certo dia, eu trouxe para casa uma placa que diz: "Que sua fé seja maior que seu medo". Que ótimo lembrete para ter à minha frente todos os dias! Necessito desesperadamente de uma fé maior que o medo. Gostaria de ser naturalmente destemida, corajosa e ousada. Mas não sou assim. Essa é uma batalha constante para mim.

Minha luta contra o medo aumentou quando me tornei mãe. De repente, o desejo de segurança e conforto ameaçou engolir minha vontade de seguir Cristo a qualquer custo. Na criação de filhos, é muito importante lembrar a quem *você* pertence, não só a quem seus filhos pertencem. Você não está sozinho; você foi comprado por alto preço (1Co 6.19-20). Jesus declarou: "Se alguém vem a mim e ama o seu pai, sua mãe, sua mulher, seus filhos, seus irmãos e irmãs, e até sua própria vida mais do que a mim, não pode ser meu discípulo. E aquele que não carrega sua cruz e não me segue não pode ser meu discípulo" (Lc 14.26-27).

Aquele amor gigantesco e abrangente que sentimos por nossos filhos deveria se perder e ser engolido pelo amor que sentimos por Jesus.

Os filhos trazem à tona nosso lado protetor — um desejo avassalador de privá-los do sofrimento e da dor. Mas *não temos ideia* de quais são os planos de Deus para eles. Sabemos, porém, que os planos divinos certamente incluem lutas, provas e dor ao longo da jornada que os tornará homens e mulheres espirituais (2Tm 3.12; Jo 16.33). Precisamos parar de ter tanto medo de tudo e começar a confiar que Deus sabe o que faz.

Quando uma de nossas filhas tinha 15 anos, teve a oportunidade de passar seis semanas em um orfanato na Tailândia. Havíamos passado um tempo lá em família no ano anterior, por isso ela estava morrendo de vontade de voltar e ver as crianças. O único problema é que ela precisaria fazer um voo internacional sozinha, com uma rápida conexão no Japão. Em meu coração, sabia que ela deveria ir. Mas meu medo desejava mantê-la em casa! Para ser franca, tinha o pensamento recorrente de atrapalhar aquilo que Deus queria que ela fizesse — mas eu não poderia agir dessa forma.

Ao orarmos sobre o assunto, tanto Francis como eu cremos que o Espírito nos orientava a deixá-la ir. Algumas pessoas nos acharam meio doidos. Talvez ainda achem. Mas acreditamos que era isso que Deus queria; portanto, precisávamos confiar nele. Conhecíamos quem estaria lá na Tailândia, do outro lado do mundo, para recebê-la e levá-la em segurança até o orfanato. Mas o mais importante: conhecíamos Aquele que estaria com ela a cada instante, dirigindo-a e orientando-a em cada circunstância. Foi uma oportunidade de ouro para ela edificar a própria fé e experimentar a confiança em Deus.

Não é fácil deixar os filhos voarem. Eu me debulhei em lágrimas quando o avião dela decolou! Mas Deus me lembrou que aquele era o momento de amar mais a *ele*, de amá-lo tanto a ponto de colocar de bom grado minha preciosa filha sob seus cuidados.

Entrega

Se eu precisasse dizer o que mais me dá medo, sem dúvida afirmaria que é o pensamento de ser torturada, ou pior: ver meus filhos serem levados embora, torturados ou violentados. Não consigo pensar em nada mais terrível. Muitos de nós ficamos presos justamente no "grande" medo, paralisados por ele. Ficamos tão envolvidos em temores grandiosos e loucos que não conseguimos perceber quanto resistimos à entrega dos medos "menores". É essa falta de entrega em nossa vida *cotidiana* que arruína nossa caminhada com Deus.

No fim das contas, o medo que mais me atrapalha é o temor de não estar no controle. Quero que as coisas sejam feitas do *meu* jeito. Quero que todos estejam felizes e confortáveis do *meu* jeito. Mas entregar significa abrir mão do controle. Trata-se de algo inerentemente altruísta. Lutamos contra o medo e hesitamos em nos render porque isso requer abrir mão de nós mesmos e daqueles que amamos. Se você é uma pessoa controladora, precisará de muita oração!

Pode ser desolador perceber que nem mesmo *queremos* nos render nos momentos cotidianos com Deus. Mas a desolação só existe de fato se você perceber esse padrão e não fizer nada a respeito. Desafie seu coração nesse aspecto. Você tem a intenção ou o desejo de entregar sua vida, seu casamento ou seus filhos à vontade de Deus? Porque, para falar a verdade, qual seria o benefício de ser "crente" sem confiar em Deus? Qual é o benefício de se dizer "seguidor" de Cristo sem segui-lo de verdade? Deus nos convida a entregar tudo a ele. Se não conseguimos — ou não queremos —, não há razão de seguir em frente. Mas, se você quiser — e o fizer —, saberá que não há lugar melhor para começar.

Conclusão: pense no futuro deles

Não resta dúvida de que dificilmente nossos filhos terão uma vida mais fácil que a nossa. Pelo contrário, parece que eles viverão em um mundo ainda mais hostil em relação à moralidade bíblica e à soberania divina. O assédio moral já começou, assim como a perseguição física. Seguir Jesus será mais difícil para esta geração. Será necessário ter mais força. Precisamos de uma geração de pais que se importe muito mais com a força de seus filhos do que com conforto, riqueza, saúde e amor paterno.

Tiago 1 nos diz que a força é desenvolvida mediante provações. Aprendemos a perseverar por meio de aflições reais. Alguns de vocês podem me levar a mal, mas eu (Francis) já orei para que meus filhos enfrentem provações. Se elas são o meio para desenvolverem força, não deveríamos desejar algumas delas? Circunstâncias fáceis não cultivam crianças fortes. Quero que meus filhos sejam fortes porque já vi pessoas fracas se acovardarem quando a pressão vem. Creio que o futuro será difícil e quero que meus filhos perseverem. Desejo que eles enfrentem algumas provações enquanto ainda estão sob meus cuidados a fim de poder pastoreá-los em meio a elas. Quero criar filhos fortes.

Também desejo criar filhos cuja vida gire em torno de Deus e de sua missão. Atualmente, a maior parte dos conselhos que recebemos sobre criação de filhos se refere ao ato de nutri-los, cuidar deles, apoiá-los, ajudá-los etc., e isso é ótimo, desde que não façamos essas coisas ao mesmo tempo que os transformamos no centro do nosso universo ou do universo deles.

Cuidar de verdade de nossos filhos significa ensiná-los a prosperar no mundo real. E aqui está a maior das realidades: Deus nos diz que "dele, por ele e para ele são todas as coisas" (Rm 11.36). Deus é o centro do universo. Ele fez este mundo para declarar sua glória. Por isso, não é nada proveitoso mentir para nossos filhos acerca da natureza do universo. Nada gira em torno deles, mas sim de Deus.

O universo também não diz respeito ao nosso papel de pais. A criação dos filhos deve permanecer alicerçada na graça de Deus. Tudo que fazemos como pais deve estar focado em Deus, sua glória e missão. A missão de Jesus para sua igreja é clara: "Portanto, vão e façam discípulos de todas as nações" (Mt 28.19). É claro que isso é muito mais amplo que criar filhos. Mas a criação dos filhos não está isenta da ordem de fazer discípulos. Deus confiou filhos a você a fim de que os transforme em discípulos que possam ir a todo o mundo fazer mais discípulos. A missão é importante demais para que a desperdicemos por causa de nossas inseguranças, nosso desejo de conforto ou nossos temores.

Faça algo

Se você é pai ou mãe, automaticamente reagirá a este capítulo de formas práticas. As decisões que você toma na educação dos filhos revelam rapidamente se você está ou não buscando a Deus e a missão divina. Mas é importante pensar bem nesses aspectos. Por isso, use as sugestões a seguir para avaliar sua abordagem à criação de filhos.

Converse com seu cônjuge
Na maior parte deste livro, você vem sendo convidado a avaliar o relacionamento com seu cônjuge. Agora, separem um minuto para ter uma conversa honesta sobre a criação dos filhos. (Se vocês não têm filhos, podem escolher quais perguntas são apropriadas e, então, discuti-las de acordo com o que gostariam de fazer no futuro.)

- Qual tem sido seu principal objetivo ao criar os filhos?
- Qual tem sido sua principal falha na criação dos filhos?
- Vocês acham que seus filhos se consideram o centro do próprio universo? Por quê?
- De que maneiras práticas vocês podem começar a ajudá-los a ver a Deus e a verdade divina com mais clareza?
- Seu relacionamento um com o outro precisa de mudanças para que seus filhos tenham uma representação mais adequada de Deus e de sua vontade? Quais?

Converse com seus filhos
- Caso seus filhos já tenham idade suficiente para ter esse tipo de conversa, sente-se com eles e faça algumas perguntas importantes sobre seu estilo de criá-los. Use essas perguntas como oportunidades de ensino quando sentir que é apropriado ou útil.
- Peça a seus filhos que sejam sinceros acerca do relacionamento deles com Deus. Certifique-se de lhes dar liberdade para

responder honestamente. É provável que eles se sintam tentados a dizer apenas aquilo que você quer ouvir. Conte-lhes as lutas de fé que você enfrentava quando tinha a idade deles, uma vez que isso pode lhes dar permissão para compartilhar as próprias dúvidas e lutas. Faça tudo aquilo que puder a fim de abrir-lhes caminho para a honestidade.

• Pergunte a seus filhos de que modo você pode orar pela luta que eles enfrentam para viver uma vida santa e como podem influenciar o ambiente ao redor. Ore de maneira específica por alguns amigos deles e confira ocasionalmente para ver se Deus atendeu aos pedidos.

• Descubra quais são os sonhos deles. Pergunte-lhes como acham que a vida deles será daqui a dez anos se tudo correr de acordo com os planos.

• Converse com seu cônjuge sobre as respostas dos filhos. Com base no que eles responderam, há algo que vocês deveriam mudar no estilo de criá-los ou no relacionamento como casal?

7

A CORRIDA EXTRAORDINÁRIA

Conclusão

Você já assistiu ao *reality show* chamado *The Amazing Race*? Casais de competidores recebem tarefas e pistas que os levam a uma corrida ao redor do mundo. Há vários pontos de conferência nos quais as duplas podem ser desqualificadas se estiverem devagar demais. O primeiro casal a terminar a jornada inteira ganha o prêmio. Só assisti a esse programa algumas vezes, mas me entretive ao ver os casais brigarem, perderem tempo precioso e acabarem perdendo. Também foi inspirador (tenho certeza de que a música-tema ajuda) assistir aos casais encorajando um ao outro, superando os desafios e usando os pontos fortes de cada um para conseguirem cruzar a linha de chegada.

Recentemente, em um retiro de casais, Lisa falou que via nosso casamento como um longo episódio de *The Amazing Race*. O motivo de não brigarmos com frequência é que não temos tempo para brigar. Estamos ocupados tentando alcançar a linha de chegada. Mesmo em meio a vitórias, só temos tempo para celebrações curtas porque o relógio não para. Arriscamos um "Toca aqui!" rápido e continuamos até o próximo ponto de conferência. Podemos até fazer intervalos a fim de recuperar o fôlego, mas logo voltamos para a corrida. Assim como Paulo (1Co 9.24-27), vemos nossa vida na terra como uma corrida.

Certo corredor de maratona me disse que é necessário tentar correr a segunda metade da prova mais rápido do que a primeira. E, quando a linha de chegada está à vista, muitos corredores apertam o passo. Eles usam cada gota de energia que lhes resta porque sabem que vão desabar assim que cruzarem a linha.

Quero correr desse jeito em minha vida. Desejo que a segunda metade seja mais intensa do que a primeira. Atualmente, parece que a norma é o oposto: fazer coisas radicais por Cristo dos 18 aos 25, então diminuir o ritmo depois de se casar. Quando se tem filhos, o serviço a Jesus se reduz ao ritmo de engatinhar — é preciso pensar na família. Aí, é só questão de tempo para você esquecer que está em uma corrida. Em vez disso, seu foco passa a ser construir uma casa e se estabelecer na vida.

Mas não precisa ser assim. Podemos correr mais rápido à medida que a prova prossegue. Nos anos finais, podemos aumentar o ritmo, sabendo que vamos cair nos braços do Pai.

Aprenda com os idosos

Josué e Calebe são grandes exemplos para nós. Durante a juventude, eles foram os dois únicos espias que tiveram fé na habilidade divina de conduzi-los à vitória. Em Josué 14, Calebe, já em seus últimos anos de vida, relata a história (vale muito a pena conhecê-la). Ele conta sobre a época em que todos duvidaram, mas ele e Josué estavam prontos para lutar. Por isso, Deus declarou que somente os dois entrariam na terra prometida. Todos os outros morreriam no deserto. A parte mais inspiradora do discurso é justamente seu final:

> Pois bem, o SENHOR manteve-me vivo, como prometeu. E foi há quarenta e cinco anos que ele disse isso a Moisés, quando Israel caminhava pelo deserto. Por isso aqui estou hoje, com oitenta e cinco anos de idade! Ainda estou tão forte como no dia em que Moisés me enviou; tenho agora tanto vigor para ir à guerra como tinha naquela época. Dê-me, pois, a região montanhosa que naquela ocasião o SENHOR me prometeu. Na época, você ficou sabendo que os enaquins lá viviam com suas cidades grandes e

fortificadas; mas, se o SENHOR estiver comigo, eu os expulsarei de lá, como ele prometeu.

Josué 14.10-12

Aos 85 anos, Calebe era mais corajoso do que nunca. É raro encontrarmos pessoas aos 50 ou 60 anos vivendo pela fé, quanto menos na casa dos 80! Quando falo aos jovens, eles me contam sobre como adorariam que pessoas mais velhas que vivem pela fé lhes servissem de mentores. Mas não conseguem encontrar ninguém. Alguns irmãos já idosos são alegres e amistosos, mas não vivem mais pela fé. Infelizmente, a vida deles se resume a visitar os netos e tirar férias. Alguns ainda estão ocupados adquirindo mais posses, na esperança de aproveitar ao máximo seus últimos dias neste mundo.

Calebe faz o oposto. Aos 85 anos, seu fim se aproximava. Ele se dirigia à linha de chegada em alta velocidade. Experimentara a fidelidade de Deus ao longo de toda a vida e isso só o tornara mais corajoso à medida que o tempo passava.

Há também o exemplo de Josué, que falou as seguintes palavras já perto do fim:

> Agora estou prestes a ir pelo caminho de toda a terra. Vocês sabem, lá no fundo do coração e da alma, que nenhuma das boas promessas que o SENHOR, o seu Deus, lhes fez deixou de cumprir-se. Todas se cumpriram; nenhuma delas falhou.
>
> Josué 23.14

É esse tipo de discurso que quero proferir no fim da vida. E você? Não anseia poder olhar para seus amados e lhes dizer que foi fiel a Deus ao longo da vida? Não quer incentivá-los a seguirem seu exemplo e permanecerem fiéis ao Deus que é tão zeloso de suas promessas?

Josué e Calebe começaram e terminaram bem. Foram fiéis até o fim e entraram na terra prometida. A Bíblia não fala muito sobre o relacionamento entre eles, mas tente imaginar a intimidade que deveriam ter. Foram os únicos que creram e nunca deixaram de acreditar. Ninguém jamais experimentou a bondade de Deus como eles. Agora, em seus últimos dias, contavam para a geração seguinte histórias sobre a fidelidade do Senhor.

Se o Senhor permitir que Lisa e eu vivamos o suficiente, oro para que também tenhamos esse tipo de companheirismo. Peço a Deus que possamos olhar para trás, para nossa vida de aventuras, e dizer à geração seguinte que siga nosso exemplo.

Nem todos terminam bem. Poucos o fazem. Recentemente, um amigo meu abandonou a esposa para ir viver com outra mulher. O que me deixa pasmo é que ele já tem sessenta e tantos anos e está no ministério há mais de quarenta. Sério mesmo? A centímetros da linha de chegada você decide parar e correr na direção contrária? Por enquanto, Satanás está vivo e vai muito bem. Não perca de vista seus esquemas. Já vi homens e mulheres idosos tomarem decisões tolas no fim da vida. Para aqueles que estão lendo este livro na terceira idade, um alerta: não sejam tolos. Aumentem a velocidade perto da linha de chegada. Terminem fortes.

Algumas coisas compensam a espera

Mal posso esperar pelo céu.

E esse é um dos meus maiores problemas. Há dias em que não quero mais esperar. Quero conforto, riquezas e recompensas agora mesmo.

Fazemos parte da geração mais impaciente da história. Estamos tão acostumados a conseguir as coisas imediatamente que, às vezes, esperar dez ou vinte segundos nos deixa nervosos. Esse é um problema sério, porque Deus nos chamou para sermos bons em esperar. Os cristãos devem aguardar com diligência (Mt 25). Hebreus afirma que Cristo está voltando para "trazer salvação aos que o aguardam" (9.28). Na realidade, porém, somos péssimos em aguardar.

Ficamos espantados ao saber que os israelitas não conseguiram nem esperar Moisés descer da montanha. Achamos ridículo eles terem ficado impacientes a ponto de juntarem ouro e fazerem um ídolo a quem pudessem adorar (Êx 32). Foi uma estupidez que cobrou um alto preço, mas muitos de nós fazemos a mesma coisa! Não conseguimos aguardar o retorno de Cristo; então, juntamos nossas riquezas a fim de criar um falso paraíso. Tentamos isolar nossa família em uma comunidade segura e nos encher daquilo que nosso coração deseja. Tentamos criar o próprio céu na terra.

Muitos escolhem ser cristãos porque acham que isso tornará a vida mais fácil. Jesus advertiu que, na verdade, a vida seria muito mais difícil (Lc 14.25-35). Paulo prometeu o mesmo: "De fato, todos os que desejam viver piedosamente em Cristo Jesus serão perseguidos" (2Tm 3.12). Deus nos chamou para muito mais do que frequentar os cultos da igreja e criar filhos bacanas. Estamos em uma corrida, uma luta, uma guerra. Quem decide seguir Jesus se alista para uma vida de sofrimentos. A solução não é se esquivar das provas, mas perseverar em meio a elas.

Entretanto, podemos usar a dor para nosso benefício. Ela é capaz de nos lembrar que "os nossos sofrimentos leves e momentâneos estão produzindo para nós uma glória eterna que pesa mais do que todos eles" (2Co 4.17). A dor pode nos lembrar das recompensas futuras. Cada vez que sofremos, louvamos a Deus por sua promessa de um futuro melhor. Por enquanto, aguardamos com o restante da criação.

Cruzando a linha de chegada

Não importa em que ponto da jornada você esteja, imagine como quer que sua vida termine. Tomamos as melhores decisões em retrospectiva; portanto, imagine-se diante de Deus. Como seria sua vida ideal?

Eu tenho a esperança de haver vivido uma vida repleta de fé e sacrifício em prol do reino. Espero crescer em fé e coragem a cada ano. Seria ótimo saber que consegui enfrentar com graça sofrimentos e rejeição em nome de Jesus durante o tempo que passei aqui. Certamente não quero comparecer diante de Deus após ter levado uma vida covarde. Desejo ser um daqueles que saem da guerra com cicatrizes — assim como Jesus.

Pense seriamente em como você deseja se aproximar do trono. Sua vida atual está na trajetória correta? Ou é necessário fazer mudanças? Não se deixe abalar pelo tempo que já perdeu, nem fique remoendo erros passados. Apenas dê o próximo passo. E mantenha o fim em vista.

Para Lisa e para mim, escrever este livro foi mais um passo de obediência. Esperamos que ele traga mudanças à concepção de vida dos casais. Desejamos ser fiéis e tentar levar esta mensagem ao maior número possível de pessoas. É por isso que o disponibilizamos de graça para que as pessoas o leia e o passem para a frente. Se você conhece um casal que precisa da mensagem deste livro, conte para eles que é possível baixá-lo gratuitamente em língua inglesa em <www.youandmeforever.org>.

Não sei o que Deus quer que você faça agora. Será sábio de sua parte passar longos períodos em oração, junto com seu cônjuge. Peça a Deus que os guie para onde ele desejar. Se ainda estiverem parados, comecem do ponto onde estão.

Em Atos 1.8, Jesus disse a seus seguidores que o Espírito lhes daria poder para ser suas testemunhas "em Jerusalém, em toda a Judeia e Samaria, e até os confins da terra". É claro que Deus fez algo singular por intermédio dos primeiros discípulos. Mas é significativo constatar que o plano divino para eles começava onde moravam, Jerusalém, espalhando-se a partir daí. Pode parecer um primeiro passo desconfortável para vocês, mas pensem na ideia de fazer caminhadas juntos pelo bairro. Orem por todas as casas por onde passarem. Creio que você se surpreenderá com o resultado das orações feitas com fé. Peça a Deus oportunidades de compartilhar o evangelho e use as chances que ele proporcionar.

O tempo voa. E voa mais rápido a cada ano. Portanto, não procrastine. Pense na sua idade como se ela correspondesse a quilômetros por hora. Aos 7 anos, é como se você estivesse se movimentando a sete quilômetros por hora e nunca fosse completar 8 anos. Aos 20, 30 anos, a vida começa a passar mais rápido. Quando se está com 50 ou 60, é difícil até mesmo saber ao certo qual é o ano do calendário vigente. E daí em diante ocupamos a faixa rápida. Você deve deixar este livro de lado e correr rápido. Como em um jogo de batata quente, você deve se livrar de suas posses o mais rápido possível. Invista tudo que puder no reino. Sua vida vai acabar a qualquer minuto, e você vai se arrepender de ter se apegado a coisas que não será capaz de levar consigo.

O fim

Sempre desejamos terminar um livro com a ideia mais importante, a fim de que ela permaneça na mente dos leitores. Cremos que o modo mais poderoso de encerrar é com uma oração. Portanto, aqui está nossa oração por nosso casamento e pelo seu também. Nós o incentivamos a orar junto com seu cônjuge:

> Senhor, ajuda-nos a te amar profundamente e a crescer no temor a ti.
> Ensina-nos como amar um ao outro em teu nome.
> Que a humildade de Cristo seja vista em nossa maneira de tratar um ao outro.
> Mostra-nos como desfrutar um do outro sem negligenciar tua missão.
> Lembra-nos da brevidade da vida a fim de partilharmos tuas boas-novas com urgência.
> Lembra-nos do céu a fim de enfrentarmos rejeições e provas com alegria.
> Quando nos acomodarmos por tempo demais, instiga-nos a correr.

Quando estivermos propensos a brigar, ensina-nos a brigar juntos e a brigar por ti.
Quando nos sentirmos tentados a fugir, opera o arrependimento e a renovação.
Que usemos nossos dias de casados para lembrar um ao outro de tua glória, teu evangelho, teu amor, teu poder, tua missão e tua promessa do que virá.
Amém.

Conheça outras obras de

Francis Chan

- Apagando o inferno
- Cartas à igreja
- Louco amor
- Multiplique
- O Deus esquecido

Compartilhe suas impressões de leitura escrevendo para:
opiniao-do-leitor@mundocristao.com.br
Acesse nosso *site*: www.mundocristao.com.br

Equipe MC:	Daniel Faria
	Heda Lopes
	Natália Custódio
Diagramação:	Sonia Peticov
Preparação:	Luciana Chagas
Revisão:	Josemar de Souza Pinto
Gráfica:	Imprensa da fé
Fonte:	Adobe Garamond
Papel:	Pólen Natural 70 g/m² (miolo)
	Cartão 250 g/m² (capa)